Ernst Probst

Königinnen der Lüfte

Biographien berühmter Fliegerinnen wie
Elly Beinhorn, Hanna Reitsch,
Amelia Earhart, Jacqueline Auriol und
Valentina Tereschkowa

Diplomica Verlag GmbH

Probst, Ernst: Königinnen der Lüfte: Biographien berühmter Fliegerinnen wie Elly Beinhorn, Hanna Reitsch, Amelia Earhart, Jacqueline Auriol und Valentina Tereschkowa. Hamburg, Diplomica Verlag GmbH 2014

Buch-ISBN: 978-3-8428-7296-7
PDF-eBook-ISBN: 978-3-8428-2296-2
Druck/Herstellung: Diplomica® Verlag GmbH, Hamburg, 2014
Covermotiv: © Professor. Dr. med. Bernd Rosemeyer

Bibliografische Information der Deutschen Nationalbibliothek:
Die Deutsche Nationalbibliothek verzeichnet diese Publikation in der Deutschen Nationalbibliografie; detaillierte bibliografische Daten sind im Internet über http://dnb.d-nb.de abrufbar.

© Diplomica Verlag GmbH
Hermannstal 119k, 22119 Hamburg
http://www.diplomica-verlag.de, Hamburg 2014
Printed in Germany

Inhalt

Königinnen der Lüfte

Die Französin Jacqueline Auriol flog als erste Frau schneller als der Schall. Sie und die Amerikanerin Jacqueline Cochran erkämpften sich abwechselnd den Ruf, die „schnellste Frau der Welt" zu sein. Die Deutsche Hanna Reitsch wurde erster weiblicher Flugkapitän, flog als erste Frau einen Hubschrauber und stellte mehr als 40 Rekorde aller Klassen und Flugzeugtypen auf. Ihre Landsmännin Elly Beinhorn führte ein legendenumwobenes Leben und prägte die sportlichen Anfänge der Fliegerei. Die Russin Valentina Tereschkowa war die erste Frau im Weltall.

Diesen und anderen „Königinnen der Lüfte" aus aller Welt ist das gleichnamige Taschenbuch gewidmet. Es berichtet nicht nur von strahlenden Erfolgen, sondern auch von schmerzlichen Ereignissen. Bei Abstürzen verloren viele Pilotinnen – wie Maryse Bastié, Amelia Earhart, Christa McAuliffe und Melitta Schenk Gräfin von Stauffenberg – sowie die Ballonfahrerin Madeleine Sophie Blanchard – ihr Leben.

Ergänzt wird das Taschenbuch durch eine Liste mit Daten weiterer berühmter Fliegerinnen, Ballonfahrerinnen und Astronautinnen.

Wie ein „roter Faden" zieht sich durch das Taschenbuch, wie schwer es früher Frauen von Männern gemacht wurde, das Fliegen zu lernen und in der Luftfahrt Fuß zu fassen. Bis in jüngste Zeit hatten Pilotinnen weltweit unter Vorurteilen zu leiden.

Ernst Probst

Dank

Für Auskünfte, kritische Durchsicht von Texten
(Anmerkung: Etwaige Fehler gehen zu Lasten
des Verfassers), mancherlei Anregung, Diskussion
und andere Arten der Hilfe danke ich herzlich:

Eric G. Ackermann, Special Collections,
University Libraries, Virginia Tech, Blacksburg
Werner Baumbauer, Mackenrodt
Werner Bittner, Deutsche Lufthansa AG,
Public Relations Dienste, Firmenarchiv, Köln
Deutsche Lufthansa AG, Public Relations Dienste,
Firmenarchiv, Köln
Harald Enteneuer, Bundesgeschäftsführer,
Deutscher Luftwaffenring e. V., Bonn
Sandra Friedrich, Lufthansa CityLine GmbH,
Unternehmenskommunikation, Köln
Bette Davidson Kalash,
Jesse Davidson Aviation Archives
Luftfahrt-Bundesamt, Braunschweig
Alois Maiburg, Architekt, Wesseling
Irmtrud Meyer, Diplom-Bibliothekarin, Bonn
Maurice G. Meyer, Conseilleur Honoraire Extérieur
de la France, Straßburg
Bernd Neu, Archivar, Ingelheim
Doris Probst, Mainz-Kostheim
Sonja Probst, Johannes Gutenberg-Universität Mainz
Stefan Probst, Mainz-Kostheim
Norman G. Richards,
Archives Reference Team, Smithsonian National Air
and Space Museum, Washington

Professor Dr. med. Bernd Rosemeyer, München
Wolf-Dieter Schaller, Flughafen Frankfurt Main AG
Karl-Dieter Seifert, Berlin
Sabine Trube, Flugkapitän, Neuss
Hannelore Zapf, Condor Flugdienst GmbH, Kelsterbach

Jaqueline Auriol

Sie durchbrach als erste
Europäerin die Schallmauer

Die erste Europäerin, die schneller als der Schall flog, war die französische Pilotin Jacqueline Auriol (1917–2000), geborene Jacqueline Marie-Thérèse Suzanne Douet. Sie stellte einige Weltrekorde auf, war mehrfach – abwechselnd mit Jacqueline Cochran – „die schnellste Frau der Welt" und galt international als eine der besten Pilotinnen.

Jacqueline Marie-Thérèse Suzanne Douet wurde am 5. November 1917 in Challans Vendée als Tochter eines Holzhändlers geboren. Sie besuchte die Institution „Blanche-de-Castille" in Nantes sowie die Pariser Schulen „Notre-Dame-de-Sion" und „École du Louvre". Im Februar 1938 heiratete die 20-Jährige den nahezu gleichaltrigen Paul Auriol (1918–1992), den Sohn des späteren Präsidenten der französischen Republik. Aus dieser Ehe gingen 1938 der Sohn Jean-Claude und 1941 der Sohn Jean-Paul hervor.

1947 begegnete die 29-Jährige bei einem Dinner im Präsidentenpalais dem französischen Flieger Raymond Guillaume. Er schwärmte: „Beim Fliegen bleibt alles am Boden zurück. Es gibt nur zwei Dinge dort oben: Leben und Tod". Seine Worte fielen bei der zweifachen Mutter auf fruchtbaren Boden. Denn die High Society und Repräsentationspflichten an der

Seite ihres Mannes, der als Sekretär seines Vater arbeitete, füllten sie nicht aus. Die Kinder sind bereits dem Babyalter entwachsen gewesen.

Ihr Gatte, der früher selbst Kampfflieger gewesen war, zeigte sich von der Idee Jacquelines begeistert, der Schwiegervater dagegen weniger. Als sich zeigte, dass Jacqueline eine große Begabung für die Fliegerei besaß, ließ sie sich auch im Kunstflug ausbilden. Zwischen 1948 und 1954 erwarb sie sechs verschiedene Pilotenscheine für sämtliche Flugzeugtypen, auch für Segelflugzeuge. Aufgrund ihres fliegerischen Könnens konnte sie bald als Einfliegerin und Testpilotin arbeiten.

Im Juli 1949 startete Jacqueline Auriol als einzige Frau unter 20 männlichen Kunstfliegern. Nach diesem Auftritt als tollkühne Luftakrobatin verlieh man ihr den Spitznamen „La Lionne" („die Löwin"). Eine Woche später stürzte Jacqueline als Kopilotin in einem Wasserflugzeug in die Seine. Sie überlebte das Unglück, erlitt aber schwere Gesichtsverletzungen. Danach musste sie eine Stahlmaske tragen, monatelang flüssig ernährt werden und fast anderthalb Jahre in Kliniken verbringen. Selbst ihre eigenen Kinder erkannten sie nicht mehr.

Um sich von den Unfallfolgen abzulenken, studierte die ans Bett gefesselte und entstellte Jacqueline Auriol eifrig Aeronautik, Algebra und Trigonometrie. In den USA gelang es Schönheitschirurgen, innerhalb von drei Jahren mit 22 Eingriffen das ehedem liebreizende und photogene Gesicht wiederherzustellen. Später erzählte Jacqueline, sie sei sich zwölf Jahre lang beim Blick in den Spiegel fremd vorgekommen.

Gleich nach ihrer letzten Operation in den USA absolvierte Jacqueline Auriol ihr Diplom als Hubschrauberpilotin. Nach ihrer Gesundung wollte sie den von der amerikanischen Fliegerin Jacqueline Cochran (1906–1963), einer Freundin von ihr, gehaltenen Geschwindigkeitsrekord für Frauen brechen. Dieses Vorhaben gelang ihr am 13. Mai 1951 auf dem Flugplatz Villacoublay bei Paris mit einem „Vampire"-Düsenjäger: Mit 818,181 Stundenkilometern wurde sie die „schnellste Frau der Welt". Im September 1952 erhielt Jacqueline in Frankreich das „Kreuz der Ehrenlegion".

Der amerikanische Präsident Harry Spencer Truman (1884–1972) verlieh Jacqueline Auriol im November 1952 im „Weißen Haus" in Washington die „Internationale Harmon Trophy" für hervorragende fliegerische Leistungen. Diese „Harmon Trophy" wird seit 1926 alljährlich international in drei Kategorien vergeben: 1. an einen herausragenden Flieger, 2. an eine herausragende Fliegerin und 3. an Aeronauten (Ballonfahrer oder Luftschiffer). Die vierte Kategorie ist die „National Trophy" in jedem der Mitgliedsstaaten. Der Name der „Harmon Trophy" erinnert an den amerikanischen Ballonfahrer und Piloten Clifford B. Harmon (1866–1945), den wohlhabenden Sponsor dieser Auszeichnung. Die „Internationale Harmon Trophy" als „beste Fliegerin der Welt" erhielt Jacqueline auch 1951, 1953, 1955 und 1956.

Im Dezember 1952 glückte Jacqueline Auriol ein neuer Weltrekord für Frauen: Mit einer „Mistral 76" erreichte sie zwischen Avignon und Istres über 100 Kilometer Flugstrecke eine Durchschnittsgeschwindigkeit von 856 Stundenkilometern. Damals wurde Jacqueline Auriol und Jacqueline Cochran abwechselnd der Ehrentitel „schnellste Frau der Welt" verliehen.

Im August 1953 durchbrach Jacqueline Auriol als erste Europäerin mit einem Düsenjäger des Tpys „Mystère" die Schallmauer (Mach 1): Sie erreichte 1.195 Stundenkilometer. Ein neuer Geschwindigkeits-Weltrekord für Frauen folgte im Juli 1955: Nun überbot Jacqueline Auriol mit einem Düsenjäger vom Typ „Mystère IV" mit 1.200 Stundenkilometern den Rekord von Jacqueline Cochran.

Mitte der 1950-er Jahre besaß der Titel „Schnellste Frau der Welt" nur noch repräsentative Bedeutung. Denn vom 1. Juli 1955 bis Anfang 1956 hatte der „Internationale Luftsportverband" den Geschwindigkeits-Weltrekordtitel für Frauen abgeschafft.

Im August 1959 übertraf Jacqueline Auriol ihre eigene Bestleistung vom Juli 1955 deutlich: Sie schaffte mit einem Düsenjäger vom Typ „Mirage III" eine Rekordgeschwindigkeit von 2.150 Stundenkilometern. Der Flug fand über dem Flughafen Istres statt. Drei Jahre später, am 22. Juni 1962, brach Jacqueline mit einem neuen französischen Düsenjäger, dem „Mistral III", mit 1.849 Stundenkilometern erneut den internationalen Schnelligkeitsrekord für Frauen über eine Strecke von 100 Kilometern.

Mit einer „Mirage III-R", glückte Jacqueline Auriol am 14. Juni 1963 in Istres ein neuer Rekord. Dabei erreichte sie 2.038,7 Stundenkilometer. 1964 gelang ihr ein weiterer Rekord.

Nach ihrem folgenschweren Absturz vom Juli 1949 absolvierte Jacqueline Auriol unfallfrei noch mehr als 4.000 Flugstunden. Sie rauchte und lachte gerne und war auf ihren ältesten Sohn stolz, der bereits im Alter von 17 Jahren seinen Pilotenschein erworben hat. Die „Süddeutsche Zeitung" bescheinigte ihr nach einem Auftritt beim „Internationalen Flugtag 1956" in München-Riem, in ihren Augen liege jener Blick, der manchmal aus fernen Weiten zurückzukehren scheine, der Blick der besessenen Fliegerin.

Die „schnellste Frau der Welt" starb am Abend des 11. Februar 2000 im Alter von 82 Jahren in ihrer Pariser Wohnung. 2003 wurde sie von der „Women in Aviation International" („WAI") anlässlich des Jubiläums „Centennial of Flight Woman in Aviation" als eine der 100 wichtigsten Frauen in der Luft- und Raumfahrtindustrie geehrt.

Maryse Bastié

Die Fliegerin,
die acht Weltrekorde brach

Frankreichs berühmteste Fliegerin war Maryse Bastié (1898–1952), geborene Marie-Louise Bombec. Sie erwarb 1928 als erste Französin den Führerschein für Passagierflugzeuge und stellte in den 1930-er Jahren acht Weltrekorde auf. 1952 kam die tüchtige Pilotin auf tragische Weise bei einem Flugzeugunglück ums Leben. Zu ihren Lebzeiten bezeichnete man sie respektvoll als „Sprinterin der Luft", „Himmels-Trumpf" oder „Dauerläuferin am Firmament".

Marie-Louise („Maryse") Bombec wurde am 27. Februar 1898 als eines von acht Kindern der armen Eheleute Joseph Bombec und Céline Filhollaud in Limoges (Département Haute Vienne) geboren. Im Alter von elf Jahren verlor sie ihren Vater. Als Mädchen soll sie ungestüm und stur gewesen sein. Nach dem Verlassen der Schule arbeitete sie in einer Schuhfabrik, wo sie Leder nähte. Am 11. Februar 1915 heiratete die 16-Jährige den Porzellanmaler Baptiste Gourinchas. Aus dieser Ehe, die später geschieden wurde, ging ein Sohn hervor, der jung an Typhus starb.

Am 22. Mai 1922 schloss die geschiedene Maryse Gourinchas ihre zweite Ehe mit dem ehemaligen Militärpiloten und entlassenen Fliegerleutnant Louis Bastié (1897–1926). Zunächst führten Maryse und Louis ein Schuhgeschäft. Später arbeitete ihr Mann als Fluglehrer in Bordeaux-Merignac. Er stürzte am 15. Oktober 1926 während eines Probefluges vor ihren Augen tödlich ab.

Durch ihren Gatten hatte sich auch Maryse Bastié für die Fliegerei begeistert. Am 29. September 1925 erhielt sie den Pilotenschein und 1928 den Führerschein für Passagierflugzeuge. Bei einer Flugschule arbeitete sie sechs Monate lang als Fluglehrerin.

Mit ihren letzten Ersparnissen kaufte sich Maryse Bastié ein gebrauchtes kleines Flugzeug des Typs „Caudron C109", das sie liebevoll „Trottinette" („Radelrutsch") nannte. Danach hatte sie kein Geld zum Fliegen, aber der Pilot Maurice Drouhin unterstützte sie finanziell. Ihren ersten Rekord stellte sie am 13. Juli 1928 zusammen mit Drouhin bei einem 1.058 Kilometer langen Flug von Paris nach Treptow in Pommern auf.

1929 kreiste Maryse Bastié 26 Stunden 48 Minuten lang über dem Pariser Flughafen Le Bourget und brach damit den Alleinflug-Dauerrekord für Frauen. Die in Deutschland geborene und in Frankreich lebende russisch-stämmige Pilotin Lena Bernstein (1906–1932) blieb kurz darauf noch länger mit ihrer Maschine in der Luft als sie. 1930 erkämpfte sich Maryse in 22 Stunden 40 Minuten mit ihrem 40 PS starken deutschen Leichtflugzeug des Typs „Klemm KL25" die Urkunde für den „Internationalen Rekord in geschlossener Bahn". Im September 1930 triumphierte sie über Lena Bernstein, als sie mit ihrem Klemm-Leichtflugzeug 37 Stunden 55 Minuten flog, ohne zu tanken, und einen neuen Alleinflug-Dauerrekord für Frauen aufstellte. Dabei kämpfte sie bis zur Erschöpfung gegen die Kälte, den Mangel an Schlaf und Abgase des Motors.

Am 28. Juni 1931 startete Maryse Bastié zu einem aufsehenerregenden Langstreckenflug. Mit diesem fast 3.000 Kilometer weiten Direktflug von Frankreich (Paris) über Deutschland nach Russland (Urino bei Nishni Nowgorod in Sibirien) in 30 Stunden 30 Minuten brach sie den bis dahin von Lena Bernstein gehaltenen Frauen-Weltrekord und stellte den absoluten Weltrekord für Kleinflugzeuge auf. Fortan galt sie als berühmte Fliegerin und konnte von den Einnahmen, die ihr die Flüge mit der eigenen Maschine sowie Werbung einbrachten, leben.

1931 erhielt Maryse Bastié als erster Franzose die renommierte „Internationale Harmon Trophy" als „beste Fliegerin der Welt". Die „Internationale Flieger-Liga" verlieh ihr 1932 den offiziellen Weltmeistertitel für Frauen. 1934 flog sie als erste Frau von Paris nach Tokio und zurück. Im Jahr darauf gründete sie 1935 auf dem Flugplatz Orly die Flugschule „Maryse Bastié Aviation". Laut Online-Lexikon „Wikipedia" arbeitete sie in den 1930-er Jahren auch als Verkaufsdirektorin bei einem Motoren- und Flugzeughersteller.

Louise Bastie und die französische Fliegerin Adrienne Bolland (1895–1975) unterstützten die 1934 von der Politikerin, Feministin, Schriftstellerin und Journalistin Louise Weiss (1893–1983) und Cécile Brunsvicg gegründete Vereinigung „La femme nouvelle" („Die neue Frau"). Diese strebte das Frauenwahlrecht und die Stärkung der Rolle der Frauen im öffentlichen Leben an.

Kurz nach dem Verschwinden des französischen Fliegers Jean Mermoz (1901–1936) über dem Atlantik krönte Maryse Bastié ihre fliegerische Leistung im Dezember 1936, als sie durch Nebel und Gewitterwolken von Dakar in Westafrika über den Südatlantik nach Natal in Brasilien flog. Dabei war sie 12 Stunden 5 Minuten unterwegs, also eine Stunde schneller als die bisherige Rekordhalterin Jean Batten (1909–1982) aus Neuseeland, und erreichte eine Durchschnittsgeschwindigkeit von 260 Stundenkilometern. Für diesen Ozeanflug hatte ihr der französische Luftfahrtminister eine Maschine des Typs

„Caudron Simoun" zur Verfügung gestellt. Nach der triumphalen Heimkehr verlieh er ihr 1937 den Titel eines „Offiziers der Ehrenlegion". Im Sommer 1937 flog Maryse zusammen mit der französischen Pilotin Suzanne Tillier von Paris nach Krasnojarsk und zurück.

Im Zweiten Weltkrieg (1939–1945) meldete sich Maryse Bastié freiwillig als Pilotin zu den Luftstreitkräften. Sie konnte aber als Frau wegen der damaligen Bestimmungen nicht angenommen werden und wurde statt dessen Fahrerin eines Ambulanzwagens. Während der deutschen Offensive im Mai 1940 arbeitete sie für das „Rote Kreuz" und half vor allem französischen Kriegsgefangenen im Lager Drancy. Bei der Abfahrt eines Zuges mit Kriegsgefangenen nach Deutschland wurde Maryse von einem deutschen Wachtposten gestoßen, brach sich dabei den rechten Ellenbogen und behielt fortan eine Behinderung. Unter dem Deckmantel des „Roten Kreuzes" sammelte sie Informationen über die Insassen des Lagers. 1940 starb der einzige Sohn von Maryse Bastié als Soldat in Tunis. Daraufhin schloss sie sich der französischen Widerstandsbewegung („Résistance") an. Nach der Befreiung von Paris trat sie der „Women's Auxiliary" der „Air Force" bei und hatte den Rang eines Leutnants. 1946 wurde sie entlassen. 1947 erhielt sie als erste Frau den Rang eines Kommandanten der Ehrenlegion. Ab 1951 arbeitete sie für die PR-Abteilung eines Testflug-Centers.

Maryse Bastié, die bis dahin ohne schwere Unfälle geflogen war, verlor am 6. Juli 1952 im Alter von 54 Jahren bei einem Sommer-Flugmeeting auf dem Flugplatz Lyon-Bron ihr Leben. Sie wurde nach dem Absturz eines zweimotorigen Transportflugzeuges „Nord 2501 Noratlas" aus rund 200 Metern Höhe unter den Trümmern begraben und erschlagen. Auch die fünfköpfige Besatzung starb.

Die berühmte Fliegerin wurde in Paris auf dem Montparnasse-Friedhof beigesetzt, wo ihr Grab noch heute erhalten ist. In Frankreich tragen viele Schulen – zum Beispiel in ihrem Geburtsort Limoges in Reims und in Hayange-Marspich – den Namen von Maryse Bastié. 1955 wurde sie mit ihrem Porträt auf einer französischen Briefmarke geehrt.

Elly Beinhorn

Deutschlands
Meisterfliegerin

Die erste Frau, die alle fünf Erdteile mit dem Flugzeug überflog, war die deutsche Pilotin Elly Beinhorn (1907–2007), die zu den berühmtesten Fliegerinnen der Welt gehört. Während ihres legendenumwobenen Lebens erlebte sie die sportlichen Anfänge der Fliegerei mit und prägte sie. Ihr guter Ruf beruht auf zahlreichen fliegerischen Meisterleistungen. Daneben schrieb sie auch Bücher und arbeitete für Funk und Fernsehen, testete Autos, fotografierte Afrikasafaris und hielt Vorträge über Autos und Verkehrsprobleme.

Elly Beinhorn kam am 30. Mai 1907 als Tochter des Kaufmanns Henry Beinhorn in Hannover zur Welt. Sie war ein Einzelkind, hätte gerne Geschwister gehabt und auf dem Land gelebt, weil man dort besser im Freien herumtollen konnte als in der Stadt. Am liebsten spielte sie „Räuber und Prinzessin". Ihre Vorfahren waren Raubritter in dem Dorf Beinhorn bei Hannover. Im Alter von fünf Jahren brachte sie sich selbst das Schwimmen bei.

In ihrem Geburtsort besuchte Elly drei Jahre lang die Stadttöchterschule und anschließend das Schillerlyceum, das sie in der letzten Klasse vor dem Abitur verließ. Obwohl sie leicht lernte, wollte sie in der Schule nicht zu den Besten gehören und keine Streberin sein. In Handarbeit und Betragen erhielt sie immer schlechte Noten, für Letzteres einmal sogar eine Fünf. Bei ihren Mitschülerinnen war Elly sehr beliebt und wurde gegen den Widerstand ihrer Lehrer zur Vertrauensschülerin gewählt.

Als 16-Jährige wollte Elly in weit entfernte Länder reisen und dort Abenteuer erleben. Aus diesem Grund schrieb sie an die „Abteilung Tierfang-Expedition" des Hamburger Tierparks Hagenbeck. Zu ihrer Enttäuschung erhielt sie aber keine Antwort. Elly schickte auch einen Brief an die Abteilung „Expeditionsreisen" des Filmstudios „UFA" in Berlin. Doch als sie zu einem Vorstellungsgespräch eingeladen wurde, wusste sie nicht, wie sie nach Berlin kommen sollte. Sie wollte nicht mehr zur Schule gehen und träumte immer wieder von anderen Abenteuern. Gelegentlich wollte sie aber auch nur das Hutgeschäft ihrer Eltern zu ungeahnter Blüte bringen.

Im Sommer 1928 wurde Elly Beinhorn von Freunden zu einem Vortrag des deutschen Flugpioniers Hermann Köhl (1888–1938) eingeladen. Dieser hatte am 12./13. April 1928 in einer einmotorigen „Junkers W33" zusammen mit zwei anderen Piloten als Erster den Nordatlantik von Osten nach Westen überquert. Nach dem Vortrag über diesen spektakulären Flug begeisterte sich Elly für die Fliegerei und wollte unbedingt das Fliegen lernen.

Am nächsten Morgen besuchte Elly den Präsidenten des Hannoverschen Aero-Clubs in seinem Büro und erzählte ihm von ihrem Wunsch. Doch der erfahrene Flieger erklärte ihr, es gebe in Deutschland keine beruflichen Möglichkeiten für Pilotinnen, fragte sie, womit sie eine teure Ausbildung und den Unterhalt eines Flugzeuges bezahlen wolle, und sagte, dass sie in Hannover nicht schulen könne, sondern deswegen nach Berlin müsse.

Elly ließ sich durch diese Bedenken nicht von ihren Plänen abhalten. Sobald sie konnte, fuhr sie zur Sportfliegerschule der „Deutschen Luftfahrt AG" in Berlin-Staaken und erkundigte sich nach den Aufnahmebedingungen. Zunächst versuch-te man, sie abzuwimmeln, doch sie war so hartnäckig, dass man später doch erklärte, sie könne kommen, allerdings ohne Zusage auf einen festen Platz.

Als Elly ihre Eltern darüber informierte, dass sie in Berlin das Fliegen lernen wolle, gab es Familienkrach. Ihr Vater wollte sie wegen ihres Geisteszustandes von einem Nervenarzt untersuchen lassen. Immer wieder warf er ihrer Mutter vor, sie sei viel zu nachsichtig mit ihrer Tochter gewesen und diese hätte viel energischer angefasst werden müssen, dann wäre sie nie auf so verrückte Ideen gekommen. Ihre Mutter weinte tagelang. Aber Elly war bereits 21 Jahre alt, hatte ihr Sparbuch geplündert und konnte nicht mehr gestoppt werden.

An einem Novembertag im Jahre 1928 saß Elly Beinhorn in Berlin zum ersten Mal in einem Flugzeug. Ihr Fluglehrer war Diplom-Ingenieur Otto Thomsen (1895–1960), einer der Männer, die Elly bei ihrem ersten Besuch im Büro der Flugschule das Fliegen auszureden versuchten. Thomsen unterrichtete später auch Hanna Reitsch (1912–1979) und Wernher von Braun (1912–1977), die als Weltklassefliegerin bzw. als Raketenkonstrukteur Karriere machten. Der Vater von Elly war bei einem Besuch in Berlin davon beeindruckt, wie und was seine Tochter lernte.

Im Frühjahr 1929 erwarb Elly Beinhorn in Berlin-Staaken zunächst den Sportfliegerschein (A-Schein). Der die Prüfung abschließende Überlandflug führte von Berlin-Staaken nach Berlin-Tempelhof, zum Flugplatz Schkeuditz (Halle-Leipzig) und zurück.

Kurz darauf erwarb Elly Beinhorn in einer Zweigstelle der Berlin-Staakener Flugschule in Würzburg bei Robert Ritter von Greim (1892–1945) den Kunstflugschein. Ihr Fluglehrer schrieb „summa cum laude" („mit höchstem Lob") in ihren Kunstflugschein. Später machte sie noch den A1-Schein für

Seeflug, den B1-Schein und ließ sich im Blindflug ausbilden. Einer ihrer Fluglehrer meinte scherzhaft, von ihm aus könne sie nach Afrika fliegen und sich da in der Luft austoben, was sie später wirklich tat.

Damit sie bei Flugtagen mit einer eigenen Maschine auftreten konnte, kaufte Elly Beinhorn bei den „Bayerischen Flugzeugwerken" in Augsburg auf Abzahlung eine „Messerschmitt M 23b". Dabei handelte es sich um einen blau-weiß-lackierten Tiefdecker mit einem 80 PS starken Siemensmotor.

In Königsberg feierte Elly Beinhorn unter den Augen des deutschen Fliegeridols Ernst Udet (1896–1941) ihren ersten Auftritt bei einem Flugtag. Dabei flog sie nach ihrer Auffassung unverantwortlich niedrig in 300 bis 400 Metern Höhe. Prompt wurde sie von Udet kritisiert, sie solle ruhig erst noch eine Weile da oben in ihren himmlischen Höhen bleiben. Andererseits erkannte der Fliegerheld mit sicherem Gespür die ungewöhnliche Begabung der jungen Draufgängerin und bezeichnete sie als „einen neuen Stern am weiblichen Fliegerhimmel".

Bei ihrem ersten Auslandsflug erlebte Elly Beinhorn ihre erste Notlandung auf ausländischem Boden. Ein schwedischer Industrieller hatte in Berlin seinen Frack vergessen und benötigte diesen dringend bei einem festlichen Bankett mit Geschäftsfreunden in Rom. Mit dem Frack an Bord flog Elly über die Alpen. Dabei fiel einer der Zylinder des Motors ihres Flugzeuges aus. Deswegen musste sie dicht hinter der italienischen Grenze auf einer Gebirgswiese notlanden. Vor den Augen herbeieilender italienischer Soldaten und Offiziere eines in der Nähe stationierten Regiments säuberte sie die verölten Zündkerzen, zeigte einem Offizier statt der Zollpapiere ihren deutschen Waffenschein, startete und flog weiter nach Venedig. Dort endete der Flug, weil die Beteuerungen, die fehlenden Papiere aus Berlin würden telegraphisch vom italienischen Konsulat folgen, nichts fruchteten. Daraufhin fuhr Elly mit dem Frack per Zug nach Rom. Inzwischen hatte der Auftraggeber den Empfang ohne Frack bewältigen müssen. Aber die Geschichte der ungewöhnlichen Frackreise sorgte für so viel Heiterkeit, dass er seine Geschäfte erfolgreich beenden konnte.

Im Juni 1930 beteiligte sich Elly Beinhorn in Bonn-Hangelar an einem Damen-Flugtag, bei dem die erste „Deutsche Damenkunstflugmeisterschaft" ausgetragen wurde. Zu ihrem Pech übersah Elly in der Ausschreibung, dass man zwischen einzelnen Rückenflug-Figuren jeweils in die Normallage zurückkehren sollte. Weil sie dies nicht tat, wussten die Schiedsrichter nicht, wann eine Kunstflug-Figur von Elly fertig war und wann die nächste begann. Siegerin wurde Liesel Bach (1905–1992).

Bei einem Zusammentreffen in Berlin warnte Ernst Udet die waghalsige Pilotin: „Liebes Kind, wenn du so weitermachst, fällst du bald anständig auf die Schnauze". Diese Prophezeiung traf tatsächlich ein. Bei einer schneidig angesetzten Landung auf dem Flugplatz Saarbrücken brach Elly's Maschine aus und ging beim Aufprall auf der Piste zu Bruch. Das Telegramm von Elly an Udet wurde berühmt: „Vorhergesagter Bruch hat planmäßig stattgefunden".

Erstes großes Aufsehen erregte Elly Beinhorn im Januar 1931 durch ihren Alleinflug nach Afrika mit einem Flugzeug der Firma Klemm mit 60 PS starkem „Argus"-Motor. Damals erreichte sie beim Hinflug über eine Strecke von 7.000 Kilometern ihr Ziel Bolama im heutigen Guinea-Bissau innerhalb von 70 Flugstunden. Nach der Ankunft beteiligte sie sich an der Expedition des österreichischen Forschers Hugo Bernatzik (1897–1953) und des deutschen Professors Bernhard Struck (1888–1971) vom „Dresdner Museum für Völker-kunde" an der westafrikanischen Küste. Zu ihren Abenteuern gehörten quälende Bisse von Wanderameisen während eines Fluges über Wasser, von Heuschreckenschwärmen behinderte Landungen und eine Nilpferdjagd. Während des Rückflugs musste sie wegen eines Ölrohrbruchs notlanden und konnte Timbuktu (Mali) erst nach einem schätzungsweise 50 Kilo-meter langen, viertägigen Fußmarsch durch die Wüste erreichen.

Am 4. Dezember 1931 startete Elly Beinhorn zu einem Weltflug, bei dem sie als erste Frau alle fünf Erdteile überquerte. Sie flog über Vorderasien, Kalkutta, den Himalaja, Bangkok, Bali bis nach Port Darwin in Australien, wo sie am 19. März 1932 landete. Danach überquerte sie per Schiff den Stillen Ozean, startete in Panama zum Flug über die Kordilleren und traf am 23. Juli 1932 nach dem insgesamt rund 31.000 Kilometer langen Flug und drei Notlandungen in Buenos Aires (Argentinien) ein.

Reichspräsident Paul von Hindenburg (1847–1934) überreichte Elly Beinhorn Anfang April 1933 als Anerkennung für ihre fliegerischen Leistungen den nach ihm benannten Hinden-burg-Pokal. Im Sommer 1933 flog sie in die ehemaligen deutschen Kolonien in Afrika und 1934/1935 durch Mittel- und Südamerika.

Eine weitere Spitzenleistung gelang Elly Beinhorn am 13. August 1935. Damals wagte sie mit der weltberühmten „Messerschmitt Me 108" namens „Taifun" innerhalb eines Tages einen Flug von Gleiwitz (Oberschlesien) über Skutari am Bosporus nach Berlin. Dabei legte sie insgesamt mehr als 3.570 Kilometer innerhalb von dreizehneinhalb Stunden zurück.

Am 13. Juli 1936 heiratete Elly Beinhorn in Berlin den deutschen Automobilrennfahrer Bernd Rosemeyer (1909–1938), den sie im September 1935 beim Besuch eines Auto-rennens auf dem Masarykring bei Brünn kennengelernt hatte. Die 13 wurde kurz darauf für den jungen Mann zur Glückszahl: Er gewann 13 Tage nach der Hochzeit den „Großen Preis von Deutschland". Elly stellte bald danach mit einem Flug von Berlin über Damaskus, Kairo, Athen, Budapest und zurück nach Berlin einen neuen Rekord auf. Aus der Ehe mit Rosemeyer ging am 12. November 1937 der Sohn Bernd hervor.

Am 28. Januar 1938, kurz vor zwölf Uhr mittags, fuhr Bernd Rosemeyer bei Weltrekordversuchen auf der Autobahn von Frankfurt am Main nach Darmstadt bei Mörfelden mit Tempo 430 in den Tod. Sein „Auto-Union"-Bolide war bei Kilometer 9,2 – heute Autobahnkilometer 508 auf der A 5 – von einer Orkanbö erfasst und von der Fahrbahn geworfen worden. Rosemeyers Konkurrent, der deutsche Rennfahrer Rudolf Caracciola (1901–1959), hatte am frühen Morgen desselben Tages sogar 432 Stundenkilometer geschafft.

Mit Elly Beinhorn trauerte damals ganz Deutschland um den verunglückten Bernd Rosemeyer, der so etwas wie der Michael Schumacher („Schumi") jener Zeit war. Noch Jahrzehnte später erklärte Elly Beinhorn immer wieder über ihre Zeit an der Seite von Rosemeyer: „Es waren die schönsten und tiefsten Jahre meines Lebens".

1939 unternahm Elly Beinhorn eine mehrmonatige Flugreise nach Indien, Burma, Thailand und Iran. Am 26. September 1941 ehelichte sie den Industriekaufmann Dr. Karl Wittmann (1904–1976). Aus dieser Verbindung stammt die 1942 geborene Tochter Stefanie („Steffi").

Der Zweite Weltkrieg (1939–1945) ging auch an Elly Beinhorn nicht spurlos vorbei. Als die Bombardierungen auf Berlin immer mehr zunahmen, zog sie mit ihren Kindern Bernd und Stefanie zunächst nach Garmisch-Partenkirchen in Bayern und später im Sommer 1943 auf ein Gut in Ostpreußen. Im Februar 1944 erfuhr Elly, dass ihre Wohnung in Berlin ausgebombt worden war. Als die Ostfront immer näher rückte, fuhr Elly mit ihren Kindern von Ostpreußen durch das zerstörte Deutschland nach Freiburg im Breisgau, wohin bereits ihre Eltern aus dem bombardierten Hannover gezogen waren und in einem Seniorenheim lebten. Bei der Mutter von Elly hatte man eine Krebserkrankung erkannt, die eine Operation erforderte. Eine neue Heimat für ein Jahrzehnt fand Elly in der schwäbischen Stadt Trossingen, die etwa 60 Kilometer östlich von Freiburg liegt. Weihnachten 1944 konnte Elly mit ihrem zweiten Ehemann Karl Wittmann verbringen. Ihre Mutter starb am 29. November 1944, ihr Vater nur rund 30 Stunden später im selben Zimmer.

Nach dem Zweiten Weltkrieg gab es für alle deutschen Staatsbürger – und somit auch für Elly Beinhorn – ein Flugverbot. Dank der Einladung eines französischen Segelfliegerlagers konnte sie erstmals wieder einen Segelflug unternehmen. Im Frühjahr 1951 erneuerte sie in der Schweiz ihren Flugschein und flog als Reporterin allein nach Nordafrika, Finnland und in andere Länder.

1954 zog Elly Beinhorn mit ihren Kinden vom schwäbischen Trossingen in ein Haus, das sie im badischen Freiburg im Breisgau erbauen hatte lassen. Einige Jahre zuvor hatten sich Elly und ihr zweiter Ehemann Karl Wittmann getrennt. Elly verdiente zu jener Zeit ihren Lebensunterhalt durch Vortragsreisen.

1956 wurde Elly Beinhorn beim Deutschlandflug Siegerin der Klasse 3 und zweite im Gesamtklassement. 1957 erhielt sie wieder den Kunstflugschein. 1959 nahm sie erfolgreich am am „Powder-Puff-Derby" in den USA teil und erhielt eine Goldmedaille im europäischen Sternflug. 1963 siegte sie in der internationalen Damenklasse beim Alpen-Sternflug. In der Folgezeit beteiligte sie sich erfolgreich an Sportflugwettbewerben und unternahm privat Sport-, Überland- und Fotoflüge.

Die bekanntesten Bücher Elly Beinhorns heißen „Ein Mädchen fliegt allein" (1932), „Mein Mann, der Rennfahrer" (1938, Neuauflage 1987), „Ich fliege um die Welt" (1952), „Madlen wird Stewardess" (1954), „Ein Mädchen und 5

Kontinente" (1956), „... so waren diese Flieger" (1966) und „Alleinflug" (1979). Davon war „Mein Mann, der Rennfahrer" mit einer Gesamtauflage von 300.000 Exemplaren am erfolgreichsten. In ihrem Buch „Fünf Zimmer höchstens" schilderte sie humorvoll die Nöte eines privaten Bauherren.

Im Alter von 72 Jahren gab Elly Beinhorn 1979 nach schätzungsweise 5.500 Flugstunden ihren Pilotenschein zurück. Sie meinte: „Da war es ja an der Zeit. Aber bis dahin bin ich 51 Jahre mit Anstand geflogen, ohne Probleme". Zu ihren zahlreichen Auszeichnungen gehören unter anderem die „Goldene Nadel" des „Aero-Clubs Deutschland" (1953), das „Goldene Abzeichen" des „Bayerischen Luftsportverbandes" (1970), die „Pionierkette der Windrose" (1975) und die Ehrenmitgliedschaft des „Aero-Clubs Deutschland".

Trotz ihrer fliegerischen Pioniertaten ist Elly Beinhorn immer bescheiden geblieben. Sie wehrte sich gegen alle Versuche, als Heldin abgestempelt zu werden. „Es gibt heute so viele tüchtige Fliegerinnen, die genausoviel und noch mehr können, als ich einst gekonnt habe", erklärte sie. „Nur hatte ich das große Glück, in einer Zeit fliegen zu dürfen, als das wirklich noch ein Abenteuer war." Einmal sagte sie aber auch: „Eines ist sicher, was die Fliegerei angeht, da wurde mir nichts geschenkt. Es sah nur hinterher manchmal so aus."

Elly Beinhorns Sohn Bernd aus der ersten Ehe mit Rosemeyer wurde später Orthopädieprofessor. Ihre Tochter Steffi aus der zweiten Ehe wählte den Beruf einer Krankengymnastin. Als Elly Beinhorn ihren 85. Geburtstag feierte, strahlte sie über einen ihrer Enkel: „Es gibt heute schon einen dritten Bernd Rosemeyer".

Elly Beinhorn ist am 28. November 2007 in einem Seniorenheim in Ottobrunn im Alter von 100 Jahren gestorben. Die Trauerfeier fand am 1. Dezember 2007 in München statt. Ihre letzte Ruhe fand sie in Berlin auf dem Waldfriedhof Dahlem neben ihrem ersten Ehemann Bernd Rosemeyer.

Die „Deutsche Bundespost" gab 2007 anlässlich des 100. Geburtstages von Elly Beinhorn einen 55-Eurocent-Gedenkbriefumschlag heraus. Zum 75. Jahrestag des Rekordfluges von Deutschland nach Istanbul und zurück im Jahre 1935 erschien am 12. August 2010 eine 50-Eurocent-Sonderbriefmarke mit einem Porträt von Elly Beinhorn und einem Bild des Flugzeugs „Bf 108 Taifun".

An Elly Beinhorn erinnern etliche nach ihr bekannte Straßen. Dies ist am Frankfurter Flughafen im Bereich der Cargo City Süd, Hannover-Kirchrode, Ostfildern-Scharnhausen, Eppelheim, Markgröningen, Eschborn und Mainz der Fall. Die Straßenbenennungskommission von Filderstadt lehnte 2010 eine Benennung nach Beinhorn ab, weil sie eine Mitläuferin des NS-Regimes gewesen sei. Am neuen Flughafen Berlin-Brandenburg existiert ein Elly-Beinhorn-Ring. Am Flughafen Stuttgart gibt es eine „Elli-Beinhorn-Lounge", wobei ihr Vorname mit „i" geschrieben ist.

In den Medien wurde Elly Beinhorn meistens als mutige und verdienstvolle Luftfahrtpionierin positiv dargestellt. Es heißt, sie sei unpolitisch gewesen, während der NS-Zeit nicht der „Nationalsozialistischen Deutschen Arbeiterpartei" („NSDAP") beigetreten und deswegen nicht kompromittiert. In manchen neueren Veröffentlichungen aus dem ersten Jahrzehnt des 21. Jahrhunderts werden bestimmte Passagen aus den während der NS-Zeit erschienenen Werken von Beinhorn kritisiert.

Das „Zweite Deutsche Fernsehen" („ZDF") präsentierte am Sonntag, 20. März 2014, die vielbeachtete Sendung „Elly Beinhorn – Alleinflug". Darin wurde sie von Vicky Krieps sympathisch als erfolgreiche, natürliche, schöne, charmante und modebewusste Frau dargestellt. Regie führte Christine Hartmann, von der auch das Drehbuch stammte. Am selben Tag sah man im „ZDF" auch die Sendung „Elly Beinhorn – Die Dokumentation".

BLANCHARD

Sophie Blanchard

Die erste professionelle
Luftschifferin

Als tollkühne Ballonfahrerin begeisterte die Französin
Madeleine Sophie Blanchard (1778–1819), geborene
Madeleine Sophie Armant, in Frankreich, Belgien, Italien und
Deutschland die Massen. Zuerst trat sie mit ihrem Mann und
später alleine auf. Wegen der Form der Gondel ihres Ballons
bezeichnet man sie auch als „Luftschifferin", obwohl das erste
richtige Luftschiff erst 1852 aufstieg. Die erste professionelle
„Luftschifferin" und „Kaiserliche Aeronautin" von Napoléon
I. stürzte über Paris bei ihrer 67. Ballonfahrt in den Tod. Sie
gilt als die erste Frau, die bei einem Flugunfall starb.

Madeleine Sophie Armant wurde 1778 in Trois-Canons im
französischen Département Charente Maritime geboren. Es
heißt über sie, sie sei wohlbehütet in ihrem bescheidenen
Elternhaus in Trois-Canons aufgewachsen.

1804 heiratete Madeleine Sophie Armant im Alter von 26
Jahren den berühmten französischen Ballonfahrer Jean-Pierre
Blanchard (1753–1809), der aus Les Andelys stammte. Ihr
Ehegatte war damals etwa doppelt so alt wie sie.

Jean-Pierre Blanchard hatte sich bereits als Ballonfahrer in
Europa einen Namen gemacht. Am 2. März 1784 startete er
auf dem Marsfeld in Paris mit einem wasserstoffgefüllten

Ballon zu seiner ersten Ballonfahrt, bei der er die Seine überflog. Einige Monate später landete er nach einer erfolgreichen Ballonfahrt zusammen mit einem Begleiter in der Normandie. Laut Anekdote wurden die beiden Ballonfahrer von Scharen wild gestikulierender herbeilaufender Bauern ungläubig in Empfang genommen. Einige Augenzeugen fielen auf die Knie, falteten die Hände zum Gebet, andere rannten entsetzt davon. Ein Bauer soll zu den Ballonfahrern nach oben gerufen haben, ob sie Menschen oder Götter seien und sie sollten sich zu erkennen geben. Daraufhin sollen die Ballonfahrer geantwortet haben, sie seien Menschen und zum Beweis ihre Mäntel abgeworfen haben.

Am 7. Januar 1785 überflog Jean-Pierre Blanchard zusammen mit dem aus Boston (Massachusetts) stammenden amerikanischen Physiker Dr. John Jeffries (1744–1819), der in England lebte, erstmals mit einem gasgefüllten Ballon von England (Dover) über den Ärmelkanal nach Frankreich. Weil Blanchard den Ruhm, der Erste zu sein, der den Ärmelkanal mit dem Ballon überquerte, nicht teilen wollte, versuchte er, seinen Geldgeber Jeffries mit üblen Tricks an der Mitfahrt zu hindern, was ihm aber nicht gelang. Die abenteuerliche Fahrt dauerte 2 Stunden 25 Minuten. Zuletzt warfen die beiden Ballonfahrer allen Ballast (Seile, Anker, Sitze, wissenschaftliche Instrumente) ab, um nicht abzustürzen, zogen sich bis auf ihre Unterwäsche aus, entleerten sogar ihre Blasen in den Ärmelkanal und kletterten von der Gondel in die Halteseile. Als die Küste von Frankreich näher kam, wurde der Ballon von einem warmen Aufwind erfasst und erreichte das Festland.

In der Folgezeit trat Jean-Pierre Blanchard öffentlich als Ballonschausteller auf. Zur ersten Luftreise in Deutschland startete er am 3. Oktober 1785 anlässlich der Herbstmesse in Frankfurt am Main, das deswegen als Wiege der deutschen Luftfahrt gilt. Zuvor hatten zwei geplante Starts am 25. und

27. September wegen stürmischem Wetter nicht geklappt. Erst am 3. Oktober 1785 gelang der Start auf der Bornheimer Heide vor angeblich 100.000 Zuschauern/innen. Frankfurt zählte damals nur etwa 35.000 Einwohner. Blanchard hatte eine Flasche Wein und zwei Milchbrote als Proviant an Bord. Erstmals ließ er seinen Hund mit einem Fallschirm zur Erde herunterschweben. Seine Fahrt ging von der Bornheimer Heide nach Weilburg an der Lahn, wo erst der dritte Landeversuch gelang. Zuerst wollte Blanchard auf einer Wiese landen, warf den Anker aus, aber ein Kind knüpfte den Ballon wieder los. Am zweiten vorgesehenen Landeplatz, einem Gestrüpp, machte ein Schäfer die Stricke wieder los. Das deutsche Kind und der Schäfer hatten wohl nicht verstanden, was der Franzose ihnen zuschrie. Beim dritten Versuch setzte Blanchard den Anker in das Wasser der Lahn und der Ballon landete am Ufer. Im Schloss von Weilburg wurde der französische Luftpionier, der mit dem Fürsten Carl von Nassau befreundet war, mit einem Festmahl gefeiert. Mit einem Wagen brachte man ihn später nach Frankfurt am Main, wo man ein Festspiel arrangiert hatte, in dessen Mittelpunkt Blanchard und sein Ballon standen. Es folgten ein Gelage mit vornehmen Herrschaften im „Römischen Kaiser" und ein Empfang im Römer, wo ihm der Rat „50 Stück doppelte Krönungsstücke in Gold von der Krönung Kaiser Josephs II. von 1764, hundert Dukaten im Wert" überreichte.

Jean-Pierre Blanchard nahm für sich die Erfindung des Fallschirms in Anspruch. Sein Fallschirm rettete ihm am 21. November 1785 das Leben. Als sein Ballon wegen Überdrucks zu platzen drohte, stieß er einige Löcher in die Hülle, um dies zu verhindern. Weil das Gas nun so schnell ausströmte, dass ein Absturz unmittelbar bevorstand, musste er sich mit seinem Fallschirm retten. Dabei handelte es sich um den ersten verbürgten, wenngleich unfreiwilligen Fallschirmabsprung eines Menschen und die erste Luftrettung in der Luftfahrtgeschichte.

Eine weitere Ballonfahrt in Deutschland unternahm Jean-Pierre Blanchard am 23. Juli 1786 in Hamburg. Auch dort begeisterte er das Publikum.

Vor den Stadttoren von Nürnberg bewunderten am 12. November 1787 schätzungsweise mehr als 50.000 Zuschauer/innen einen Ballonstart von Jean-Pierre Blanchard. Einem Gerücht zufolge hatte er die letzte Beichte für den Fall abgelegt, dass ihm etwas zustoßen sollte. 240 Stadtsoldaten sorgten für einen reibungslosen Ablauf. Das Füllen der Ballonhülle wurde durch Böllerschüsse verkündet. Nach dem durch Händeklatschen und Vivarufe begleiteten Aufstieg um 11.26 Uhr in der Gegend des heutigen Stadtparks liefen tausende von Menschen über abgeerntete Felder dem Ballon hinterher, kamen aber wegen dessen Schnelligkeit nicht nach. Bis heute hat sich in Nürnberg die Redensart „No schau' ner hie, der rennt wie beim Blenscherd" erhalten. Der Ballon flog angeblich bis zu 1.600 Meter hoch und landete um 12.15 Uhr bei Braunsbach im Knoblauchsland. Unter dem Jubel der Bevölkerung geleitete man Blanchard zurück in die Stadt, wo neben mehrtägigen Feierlichkeiten weitere Flugexperimente abgehalten wurden.

In Berlin erinnert noch heute der Ballonplatz in Karow-Nord an eine Landung von Jean-Pierre Blanchard nach einer Ballonfahrt. Dazu war er am 27. September 1788 auf dem Exerzierplatz im Tiergarten gestartet.

Der Magistrat von Hannover ernannte Jean-Pierre Blanchard nach einer Flugvorführung 1790 in der Stadt an der Leine zum Ehrenbürger.

In Wien führte Jean-Pierre Blanchard am 6. Juli 1791 eine Ballonfahrt vom Prater zum Vorort Groß-Enzersdorf durch. Bei einer Tournee durch Österreich verhaftete man ihn 1792, weil man den Verdacht hatte, er würde die radikalen Ideen der „Französischen Revolution" verbreiten. Wegen fehlender Beweise ließ man ihn wieder frei.

In der Neuen Welt hat Jean-Pierre Blanchard die erste Ballonfahrt unternommen. Am 9. Januar 1793 stieg er aus dem Washington Prison Yard (Philadelphia) mit seinem Ballon in die Luft, wobei ihm kein Geringerer als Präsident George Washington (1732–1799) zusah. Die Landung erfolgte in Deptford, Gloucester County (New Jersey). Im September 1796 fegte ein Tornado durch New York, wobei Blanchards 16-jähriger Sohn aus der Ehe mit seiner ersten Frau Victorie getötet und die Ballonhalle zerstört wurde, in der sich die gesamte Ausrüstung befand. Im Mai 1797 floh Blanchard wegen seiner Schulden mit seiner Frau Victorie und drei Töchtern aus Amerika. Irgendwann danach kam es zur Trennung.

Was Madeleine Sophie Armant bewog, die zweite Ehefrau von Jean-Pierre Blanchard zu werden, ist eigentlich verwunderlich. Denn ihr Gatte war merklich älter als sie und wurde von Zeitgenossen als sehr kein (nicht viele Inches größer als fünf Fuß), spindeldürr, nicht besonders temperamentvoll, unangenehme Kreatur, humorlos und verdrießlich beschrieben.

Vielleicht war es die Begeisterung für die Luftfahrt, welche die beiden zusammenschweißte? Zusammen mit ihrem Gatten Jean-Pierre schwebte Sophie mit einem Ballon in zweieinhalb Stunden von Frankreich (Calais) über den Ärmelkanal nach England (Dover). Bald unternahm sie alleine Ballonfahrten. Außerdem sah man das Ehepaar Blanchard bei Ballonaufstiegen in vielen europäischen Großstädten.

Während seiner 60. Ballonfahrt über dem niederländischen Den Haag erlitt Jean-Pierre Blanchard einen Schlaganfall. Er konnte zwar noch sicher landen, starb aber kurz darauf am 7. März 1809 im Alter von 55 Jahren in Paris. Später hat man einen Mondkrater mit einem Durchmesser von 40 Kilometern nach ihm benannt.

Nach dem Tod ihres Ehemannes drohte seine 31-jährige Witwe zu verarmen. Denn sie hatte keine Ausbildung, keinen Beruf und keine eheliche Versorgung. Ihr einziger Besitz waren die Ballone ihres Gatten. Damit bestritt sie fortan ihren Lebensunterhalt, indem sie bei größeren Anlässen mit einem Ballon aufstieg und manchmal artistische Kunststücke auf einer Schaukel darunter vorführte.

Abenteuerlich verlief eine Ballonfahrt von Madeleine Sophie Blanchard am 16. September 1810 in Frankfurt am Main. Sie startete ohne Gondel auf einem Seil sitzend, wurde in den Taunus abgetrieben und landete dort mit starken Erfrierungen. Danach musste sie fast ein Jahr lang pausieren.

Bei ihren Auftritten mit dem Ballon zeigte Madeleine Sophie Blanchard gewagte Kunststücke außerhalb der Gondel, die sie mit einem Feuerwerk beleuchtete. Solche Schauspiele wurde von Tausenden von Zuschauern bejubelt. In Frankreich gab es bald kein großes offizielles Fest mehr, bei dem Sophie nicht zu bewundern war.

Kaiser Napoléon I. (1769–1821) ernannte Madeleine Sophie Blanchard zur „Kaiserlichen Aeronautin". Bei seiner zweiten Hochzeit 1810 mit Erzherzogin Marie Louise von Österreich (1791–1847) war sie auf dem Pariser Marsfeld und 1811 bei den Feiern zur Geburt seines Sohnes Louis (1811–1832) in Saint-Cloud die große Attraktion.

Am 7. Juli 1819 fand Madeleine Sophie Blanchard im Alter von nur 41 Jahren bei einer nächtlichen Ballonfahrt über dem Pariser Vergnügungspark „Tivoli" den Tod. Als sie in etwa 300 Meter Höhe ein Feuerwerk loslassen wollte, explodierte ein Feuerwerkskörper zu früh und der Ballon begann zu brennen. Die Zuschauer/innen hielten den brennenden Ballon zunächst für eine besonders gelungene Darstellung und brachen in Jubel aus. Erst als der Ballon brennend herabfiel, die Gondel auf ein Dach prallte und sich überschlug, Sophie Blanchard herausgeschleudert wurde und auf die Straße stürzte, begriffen die Menschen, was sich tatsächlich ereignet hatte.

Bei der Beerdigung von Madeleine Sophie Blanchard auf dem Pariser Friedhof „Père Lachaise" nahm eine unübersehbare Menschenmenge von der berühmten Ballonfahrerin bewegt Abschied. Noch heute erinnert dort ein großes Monument, das mit Spenden der Bevölkerung errichtet wurde, an die mutige Frau.

Ironie de Schicksals: Jean-Pierre Blanchard, der Mann, der es verabscheute, den Ruhm zu teilen und immer allein im Rampenlicht stehen wollte, musste letztendlich die Ehre der Berühmtheit teilen. Beim Namen Blanchard denkt man heute nicht nur an ihn, sondern auch an seine zweite Frau Sophie.

Jacqueline Cochran

Die „schnellste
Frau der Welt"

Zu den bekanntesten und kühnsten Fliegerinnen Amerikas gehörte Jacqueline Cochran (1906–1980), geborene Pittman, verheiratete Odlum. Die aus einfachen Verhältnissen stammende Pilotin stellte insgesamt 58 Flugrekorde auf und galt bis zu ihrem Tod als „schnellste Frau der Welt". Außerdem wählte man sie als erste Frau zur Präsidentin der „Fédération Aeronautique Internationale" („FAI").

Jacqueline Cochran kam am 11. Mai 1906 in Muscogee (Florida) als jüngstes von fünf Kindern einer sehr armen Familie zur Welt. Nach ihrer Geburt hieß sie eigentlich Bessie Lee Pittman. Ihr Vater war der Maschinenschlosser Ira Pittman, ihre Mutter dessen Ehefrau Maria Pittman, geborene Grant.

Am 13. November 1920 heiratete die schwangere Jacqueline Cochran in Blakely (Georgia) den jungen Flugzeugmechaniker Robert Cochran, der am Marinestützpunkt Pensacola (Florida) arbeitete. Drei Monate später brachte sie am 21. Februar 1921 den Sohn Robert Cochran jun. zur Welt. Das junge Paar zog nach Miami und lebte dort vier Jahre lang bis zur Scheidung. Danach zog Jacqueline Cochran nach DeFuniak Springs (Florida), wo ihre Eltern damals lebten. Ihr kleiner Sohn

Robert starb im Alter von fünf Jahren auf tragische Weise, als seine Kleidung beim Spielen auf einem Hinterhof plötzlich Feuer fing und niemand dabei war, der ihm helfen konnte.

In vielen Artikeln und Büchern heißt es fälschlicherweise, Jacqueline Cochran sei zwischen 1906 und 1910 in der Gegend von Pensacola (Florida) zur Welt gekommen. Ihr genaues Geburtsdatum sei nicht bekannt. Sie sei als Findelkind in großer Armut bei Pflegeeltern aufgewachsen, die ein Wanderleben führten. Den Namen Jacqueline Cochran habe sie aus dem Telefonbuch gewählt. Ihre angeblichen Stiefeltern und Stiefgeschwister hätten sie „Jackie" gerufen.

Doch die Menschen, die als „Jackie's" Stiefeltern und Stiefgeschwister bezeichnet werden, waren in Wirklichkeit ihre richtigen Eltern und leiblichen Geschwister. Offenbar wollte „Jackie" vor der Öffentlichkeit die ersten Kapitel ihres Lebens verheimlichen, was ihr zu Lebzeiten auch gelang.

In der Literatur kursieren zahlreiche phantasievolle Geschichten über die Kindheit von Jacqueline Cochran. Ihr Zuhause soll zeitweise eine baufällige Hütte ohne Fensterscheiben gewesen sein. Bis zu ihrem achten Lebensjahr musste „Jackie" angeblich barfuß laufen, weil sie keine Strümpfe und Schuhe besaß. Ein Strohsack soll ihr als Bett und ein ehemaliger Mehlsack als einziges Kleidungsstück gedient haben. Wenn sie Hunger hatte, suchte sie angeblich oft im Wald etwas Essbares.

Auch über den Start ins Berufsleben von „Jackie" kursieren unterschiedliche Versionen. Nach einer Lesart soll sie Laufmädchen in einer Baumwollfabrik in Ohio, „Mädchen für alles" in einem Schönheitssalon, Arbeitskraft zur Bedienung eines Dauerwellenapparates in Montgomery (Alabama), Mitarbeiterin eines Landarztes in Florida, Krankenschwester im Südwesten der USA, Verkäuferin von Schnittmustern und Kurzwaren sowie Mitinhaberin eines Kosmetiksalons und Schönheitssalons gewesen sein.

Irgendwann zog sie nach New York City und nannte sich dort „Miss Jackie Cochran". In New York City arbeitete die selbstbewusste „Jackie" im Sommer in einem der führenden Schönheitssalons, nämlich Antoines „Saks-Fifth Avenue Salon", und im Winter in Antoines Salon in Miami (Florida).

In Miami wurde 1932 der 40-jährige verheiratete amerikanische Millionär Floyd Bostwick Odlum (1892–1976) auf die 14 Jahre jüngere Frau aufmerksam. Er war der Gründer der Atlas-Flugzeugwerke („Atlas Corporation"), der Chef der Filmgesellschaft „RKO" in Hollywood und galt als einer der zehn reichsten Männer der Welt. Er verliebte sich schnell in „Jackie" und wollte ihr helfen, ihren Berufswunsch als selbstständige reisende Kosmetikverkäuferin zu verwirklichen. Allerdings riet er ihr, sie müsse statt mit einem langsamem Auto mit dem Flugzeug reisen, wenn sie auf Dauer konkurrenzfähig sein wolle.

Bereits nach der ersten Flugstunde auf dem „Roosevelt Field" in Garden City auf Long Island (New York) war Jacqueline Cochran von der Fliegerei begeistert. Schon am dritten Tag wagte sie einen Alleinflug. Nach dreiwöchigem Unterricht während eines Urlaubs erwarb sie 1932 den Pilotenschein. Damit gewann sie ihre Wette mit dem Millionär Odlum, der die Kursgebühr von 495 Dollar zahlen wollte, wenn „Jackie" die Fluglizenz in drei Wochen erhalten würde. Hinterher absolvierte sie einen Jahresflugkurs in Kalifornien und trainierte bei den amerikanischen Marinefliegern. Dank dieser Ausbildung konnte sie außer Zivil- und Verkehrsflugzeugen auch Bomber und Jagdflugzeuge steuern.

Die erste Notlandung ließ nicht lange auf sich warten. In Kalifornien fuhr Jacqueline Cochran mit dem Flugzeug quer über eine Landstraße, durchbrach einen Zaun und streifte das parkende Auto eines Verkehrsrichters, der ihr kurioserweise eine Geldbuße von 25 Dollar wegen „Parkens an verbotener Stelle" aufbrummte.

1933 erwarb Jacqueline Cochran ein ausrangiertes Lang-
strecken-Flugzeug des Typs „Gamma", das zur Postbeför-
derung eingesetzt worden war, um damit am Wettrennen von
England nach Australien teilzunehmen. Nach einigen Notlandungen und kostspieligen Reparaturen vercharterte sie diese
Maschine an den exzentrischen Piloten Howard Hughes
(1905–1976), der damit problemlos einen amerikanischen
Transkontinental-Rekord aufstellte.

1934 beteiligte sich Jacqueline Cochran – neben der Engländerin Amy Johnson-Mollison (1903–1941) und der Deutschen Thea Rasche (1899–1971) – mit einem Flugzeug des
Typs „Gee Bee" als eine von drei Frauen am „MacRobertson-
Wettflug" von London (England) nach Melbourne (Australien). Als „Jackie" während der ersten Etappe nach Bukarest
(Rumänien) über den Karpaten den Treibstoff aus einem Tank
in den anderen leitete, setzte der Motor aus. Ihr Kopilot Wesley
Smith wollte deswegen mit dem Fallschirm abspringen, doch
die Cockpithaube war verklemmt und ging nicht auf. „Jackie"
bewegte die Treibstoffschalter in verschiedenen Richtungen
und plötzlich setzte der Motor wieder ein. Die Hersteller hatten
die Schalterbeschriftungen für „Offen" und „Zu" verwechselt.
Bei der Landung in Bukarest ließ sich eine Landeklappe nur
wenig und die andere gar nicht bewegen, weshalb die Maschine
zeitweise die Balance verlor. „Jackie" gab wegen des Ver-
sagens der „Bee Gee" das Rennen auf.

In den folgenden Jahren siegte Jacqueline Cochran bei vielen
Weltflügen und stellte zahlreiche Rekorde auf. 1935 gründete
sie ein eigenes Unternehmen („Jacqueline Cochran Cosmetics"), in dem sie bis 1963 arbeitete. 1936 heiratete sie
Floyd Bostwick Odlum nach dessen Scheidung und führte
mit ihm eine glückliche Ehe. 1937 machte sie als erste Frau
der Welt eine Instrumentenlandung (Blindflug). Im Dezember
1937 flog sie in der Rekordzeit von 4 Stunden 12 Minuten
nonstop von New York City nach Miami.

Im Langstreckenjäger-Prototyp „Seversky AP-7" mit 1.200 PS und Zusatztanks in den Tragflächen gewann Jacqueline Cochran 1938 als erste Frau das „Bendix Transcontinental Air Race". Für die 3.286 Kilometer von Los Angeles (Kalifornien) nach Cleveland (Ohio) benötigte sie 8 Stunden 10 Minuten 31 Sekunden, was einer Durchschnittsgeschwindigkeit von mehr als 400 Stundenkilometern entsprach. Und dies, obwohl bald nach dem Start der Zufluss des Treibstoffs aus dem rechten Flügel zum Motor nicht recht funktionierte, weshalb „Jackie" das Flugzeug immer wieder schief stellen musste. In der Fabrik stellte man später fesst, dass sich dicht am Auslass des rechten Flügels ein Klumpen Packpapier befand.

Ab 1938 wurde Jacqueline Cochran drei Mal hintereinander als „beste Fliegerin der Welt" mit der „Internationalen Harmon Trophy" ausgezeichnet. Diese Ehre widerfuhr ihr 1953 und 1961 noch einmal. 1939 stellte sie einen Höhen-Weltrekord für Frauen auf. Bis zum Ausbruch des Zweiten Weltkrieges brach sie zahlreiche Rekorde, unternahm Testflüge für viele amerikanische Flugzeugfirmen und kümmerte sich nebenher um ihre Firma „Jacqueline Cochran Cosmetics", zu der ein Schönheitssalon in Chicago und ein chemisches Laboratorium in New Jersey gehörten. Von 1941 bis 1943 war sie Präsidentin der „Ninety Nines".

Nach dem Eintritt der USA in den Zweiten Weltkrieg 1941 meldete sich Jacqueline Cochran zum Flugzeugüberführungskommando, das schwere Bomber nach England zu schaffen hatte. Doch man wies sie ab, weil ihre männlichen Kollegen keine Frau unter sich haben wollten. Aber sie ließ nicht locker und überführte im Juni 1941 als erste Frau einen Bomber des Typs „Lockheed Hudson V" von Kanada über den Atlantik nach Großbritannien. Im Juli 1941 kehrte sie in die USA zurück und rekrutierte dort 25 amerikanische Fliegerinnen als Überführungspilotinnen für die britische „Air Transport Auxiliary" („ATA").

Mit Unterstützung von General Henry Harley („Hap") Arnold (1886–1950), dem Chef der Heeresluftwaffe („Army Air Force"), gründete Jacqueline Cochran 1942 das „Women's Pilot Training Program" in Houston (Texas). Dieses zog später nach Sweetwater (Texas) um. Im Herbst 1942 entstand in den USA unter Aufsicht des Lufttransportkommandos der Heeresluftwaffe eine Überführungsabteilung von amerikanischen Pilotinnen, die „Women's Auxiliary Ferrying Squadron" („WAFS"), deren Kommandantin Nancy Harkness Love (1914–1976) war. Im Juli 1943 wurde die „WAFS" der neuen Organisation „Women Airforce Service Pilots" („WASP") mit Jacqueline Cochran als Direktorin unterstellt. Von den 1.830 Frauen, die zu den WASP-Lehrgängen zugelassen wurden, schlossen 1.074 auf dem ehemaligen Flugplatz „Avenger Field" in Sweetwater (Texas) mit Erfolg ihre Ausbildung ab. Sie überführten 12.650 Flugzeuge von 77 verschiedenen Typen. Insgesamt legten die Pilotinnen mehr als 60 Millionen Kilometer bei diesen und anderen Einsätzen zurück. 38 verloren bei der Ausübung ihres Dienstes ihr Leben. Während des Zweiten Weltkrieges überquerte Jacqueline Cochran für die amerikanischen Streitkräfte insgesamt mehr als hundert Mal den Atlantik.

Nach dem Ende des Zweiten Weltkrieges wurde Jaqueline Cochran von einer Zeitschrift eingestellt, um über wichtige Ereignisse der Nachkriegszeit zu berichten. In dieser Funktion stand sie im Sommer 1945 auf den Philippinen bei der Unterzeichnung der japanischen Kapitulationsurkunde an der Seite von General Douglas MacArthur (1880–1964). Außerdem beobachtete sie die „Nürnberger Prozesse" gegen ehemalige Nazi-Größen in Deutschland.

In der Nachkriegszeit kümmerte sich Jacqueline Cochran wieder um ihre Kosmetikfirma und um ihre Farm im Coachella Tal. Auf ihrer Farm hätte sie bereits vor dem Krieg gerne Elefanten gehalten, aber ihr Ehemann wollte dies nicht.

Außerdem reiste sie in viele Länder (Guam, Japan, China, Ägypten, Persien, Deutschland) und traf berühmte Persönlichkeiten wie Madame Tschiang Kai-scheck, Mao Tse Tung (1893–1976) und den jungen Thronfolger Reza Pahlevi (1919–1980).

1951 galt Jacqueline Cochran als eine der 25 herausragenden Unternehmerinnen in den USA. Von der Nachrichtenagentur „Associated Press" („AP") wurde sie 1951 und 1953 zur „Woman of the Year in Business" erkoren. Zu ihrem Freundeskreis gehörten bedeutende Persönlichkeiten aus Luftfahrt, Wissenschaft, Wirtschaft und Politik.

Jacqueline Cochran und ihr Ehemann Floyd Bostwick Odlum unterstützten 1952 finanziell die Präsidentschaftskandidatur des ehemaligen Generals Dwight D. Eisenhower (1890–1969) für die Republikaner. Eisenhower war von 1953 bis 1961 der 34. Präsident der USA und ein enger Freund von „Jackie" und ihrem Mann. Politisch blieb sie konservativ und war keine Feministin.

Am 4. Juni 1953 erreichte Jacqueline Cochran mit einem Düsenjäger des Typs „F-86 Sabre" eine Durchschnittsgeschwindigkeit von 1042,5 Stundenkilometern und durchbrach dabei in Sturzflügen aus 14.000 Meter Höhe als erste Frau zwei Mal die Schallmauer (Mach 1). Sie übertraf den Geschwindigkeitsrekord für Frauen, den vorher Jacqueline Auriol (1917–2000), die Schwiegertochter des französischen Staatspräsidenten Vincent Auriol (1884–1966), hielt, und zugleich den von einem Mann gehaltenen Geschwindigkeitsrekord für Düsenflugzeuge auf einer 100-Kilometer-Strecke.

Eine ihrer wenigen Niederlagen erlebte Jacqueline Cochran 1956 bei einem kurzen Ausflug in die Politik, als sie sich um einen Sitz im Kongress der Vereinigten Staaten bewarb. Bei der Nominierung für die Republikaner schlug sie zwar fünf männliche Konkurrenten, unterlag aber bei der Wahl knapp dem ersten asiatisch-amerikanischen Kongressabgeordneten Dalip Singh Saund (1899–1973).

In den 1960-er Jahren sponserte Jaqueline Cochran das von ihr finanzierte private „Mercury 13"-Programm". Dabei testete man die Fähigkeiten von 13 Pilotinnen für eine Verwendung als Astronautinnen. Einige der Kandidatinnen übertrafen sogar die Ergebnisse männlicher Astronauten. Das Projekt scheiterte am männlichen Widerstand von Militär und Raumfahrt.

Mit 1.356 Stundenkilometern brach Jacqueline Cochran 1961 erneut einen zuvor Jacqueline Auriol aufgestellten Weltrekord. Den miteinander befreundeten Pilotinnen Cochran und Auriol wurde damals abwechselnd der Ehrentitel „Schnellste Frau der Welt" verliehen. Am 22. Juni 1962 übertrumpfte Auriol mit 1.849 Stundenkilometern wieder Cochran und noch im selben Jahr Cochran mit 1.937,15 Stundenkilometern Auriol. Mit einem Militärjet des Typs „Northrop T-38" brach Cochran 1962 neun internationale Rekorde für Geschwindigkeit, Höhe und Distanz.

Im Alter von 57 Jahren erreichte Jacqueline Cochran 1963 mit einem „Lockheed F-104 Starfighter" eine Geschwindigkeit von 1.263,686 Meilen in der Stunde. Das sind umgerechnet rund 2.020 Stundenkilometer bzw. „Mach 2". 1964 schaffte sie mit rund 2.300 Stundenkilometern einen neuen Weltrekord. Sie blieb bis zu ihrem Tod die „schnellste Frau der Welt", weswegen man sie „Speed Queen" nannte.

1956 wurde Jacqueline Cochran zur Vizepräsidentin und 1958 zur Präsidentin der „Fédéral Aeronautique International" gewählt. 1971 nahm man sie als erste Frau in die „Aviation Hall of Fame" in Dayton (Ohio) auf. Damals machte sie auf dem „Pariser Luftfahrtsalon" ihren letzten Flug. Ihre fliegerische Karriere wurde aus gesundheitlichen Gründen durch einen Herzschrittmacher beendet.

Jacqueline Cochran erzählte ihre spannende Lebensgeschichte in ihrem Buch „The Stars at Noon" (1954, deutsch: „Mein

Weg zu den Sternen"). Sie brachte keine eigenen Kinder zur Welt, sondern adoptierte fünf Waisenkinder.

Am 9. August 1980 starb Jacqueline Cochran im Alter von 74 Jahren in ihrem Haus in Indio (Kalifornien), das sie gemeinsam mit Floyd Odlum bewohnt hatte. Man setzte sie im Coachella Valley bei. Nach ihr wurden ein 100 Kilometer großer Krater auf dem Planeten Venus und der Flughafen „Jacqueline Cochran Regional Airport" bei Palm Springs in Kalifornien benannt. 1996 ehrte die US-Post sie mit einer 50-Cent-Briefmarke und 2003 „Women in Aviation International" sie als eine der 100 wichtigsten Frauen in der Luftfahrt.

Amelia Earhart

Die erste Frau, die zwei Mal
über den Atlantik flog

Als Amerikas legendärste Fliegerin gilt Amelia Earhart
(1897–1937). Sie wurde 1932 im Alter von 34 Jahren
als der erste Mensch berühmt, der zwei Atlantikflüge unternommen hatte. Ihr großes Vorbild war ihr Landsmann Charles
A. Lindbergh (1902–1974), der 1927 als Erster den Atlantik
überflogen hatte. Da sie ihm auch äußerlich ähnelte, nannte
man sie „Lady Lindy", sie selbst bezeichnete sich lieber als
„AE". 1937 kehrte sie von einem Flug, wie ihn zuvor noch
niemand gewagt hatte, nicht mehr zurück.
Amelia Mary Earhart erblickte am 24. Juli 1897 als Tochter
des Advokaten Edwin Earhart (1865–1930) und seiner
Ehefrau Amelia („Amy") Otis (1869–1937) in Atchinson
(Kansas) das Licht der Welt. 1899 wurde ihre Schwester Grace
Muriel geboren. In Atchinson verbrachte Amelia ihre Kindheit
überwiegend im Haus ihrer Großeltern, weil ihr Vater ein
Alkoholiker war.
Der Vater verlor wegen seiner Alkoholsucht eine Arbeitsstelle
nach der anderen, musste mehrfach umziehen und brachte
damit seine Familie immer mehr in finanzielle Schwie-
rigkeiten. Diese traurigen Erfahrungen sind vermutlich der
Grund dafür gewesen, dass Amelia einen fast manischen Hass

auf alkoholische Getränke entwickelte. Im Alter von elf Jahren musste die Elfjährige mit ihren Eltern und ihrer Schwester nach Moines (Iowa) umziehen. Dort sei der Verlust des materiellen Wohlstandes immer sichtbarer geworden und habe der langsame Zerfall der Familie eingesetzt, schrieb Amelia's Schwester Grace Muriel später.

Als Kind verhielt sich Amelia anders, als man es damals von Mädchen erwartete. Sie wollte all das tun, was Jungs machten, nur besser. Amelia spielte Football, kletterte auf Bäume, baute Baumhäuser und schoss mit dem Gewehr, das ihr der Vater anstelle von Puppen geschenkt hatte, auf Ratten. Einmal raste sie im Winter zum Entsetzen von Zuschauern mit einem Schlitten unter einer die Straße entlangfahrenden Pferdekutsche hindurch.

Eine Tante in Kansas schenkte Amelia und ihrer Schwester Grace Muriel so genannte Bloomers-Frauenhosen, die nach der amerikanischen Feministin Amelia Bloomer (1818–1894) benannt sind. Diese Hosen im Ballonschnitt waren nicht so schön wie die damals üblichen Mädchenkleider, ermöglichten aber volle Bewegungsfreiheit.

Amelia las am liebsten eigentlich für Jungen bestimmte Bücher über Abenteuer und Helden. Mit diesem Lesestoff war sie aber oft nicht wirklich zufrieden. Sie klagte über die sich ständig wiederholende Stereotypie des ewig überlegenen männlichen Helden, der zur Belohnung immer das schöne, aber hilflose Fräulein bekam, das er wagemutig rettete.

Früh hatte Amelia Earhart den Wunsch nach Unabhängigkeit und Selbstbestimmung sowie nach einer eigenen Karriere. Wie ein Schwamm saugte sie jede Information über Frauen in Männerberufen auf und sammelte Zeitungsartikel darüber. Dass sich Jungen kaum für sie interessierten, störte sie nicht besonders. Amelia interessierte sich für Chemie und Physik und schloss 1916 in Chicago die High-School mit Auszeichnung ab.

Im Winter 1917 begegnete die 20-jährige Amelia bei einem Besuch ihrer jüngeren Schwester Grace Muriel in Toronto schwerverletzten britischen Soldaten aus dem Ersten Weltkrieg, die sich in Kanada erholen sollten. Nach diesem Erlebnis wurde sie sofort Krankenschwester und überzeugte Pazifistin.

Im Herbst 1919 begann Amelia an der „Columbia University" in New York City ein Medizinstudium. Das Studium behagte ihr aber nicht, sie brach es nach einem halben Jahr ab und kehrte zu ihren Eltern, die damals in Los Angeles (Kalifornien) lebten, zurück. Angeblich hatten Professoren zu ihr gesagt, sie müsse mehr arbeiten. Nach anderen Angaben konnte sie sich nicht vorstellen, eines Tages am Bett eines Patienten sitzen und über schmerzstillende Tabletten plaudern zu müssen.

Entscheidend für Amelia Earharts weiteren Lebensweg war, dass sie 1920 erstmals in einem Flugzeug mitfliegen durfte. Von da ab wollte sie unbedingt selber fliegen. Der Flugunterricht kostete damals 1.000 Dollar und Amelias Eltern weigerten sich, diesen teuren „Spleen" finanziell zu unterstützen. Um das kostspielige Hobby finanzieren zu können, nahm Amelia in den folgenden Jahren insgesamt 28 verschiedene Jobs – von der Telefonistin bis zur Würstchenverkäuferin auf Volksfesten – an. 1921 konnte sie ihre erste Flugstunde bei Anita („Neta") Snook (1896–1991) nehmen. Bereits ein halbes Jahr später kaufte sich Amelia 1922 mit selbst gespartem und von ihrer Mutter geliehenem Geld ein gebrauchtes Flugzeug („Kinner Airster"), mit dem sie bald darauf einen Höhen-Weltrekord (4.300 Meter) für Frauen aufstellte.

1924 ließen sich die Eltern nach mehr als 30-jähriger Ehe scheiden. Amelia Earhart zog mit ihrer Mutter nach Boston (Massachusetts) an die Ostküste der USA. Angeblich ihrer Mutter zuliebe verkaufte sie ihr Flugzeug und kaufte sich stattdessen einen Sportwagen. In Boston besuchte sie noch einmal ein College, arbeitete danach zunächst als Lehrerin und später im „Denison House" als Sozialarbeiterin, wo sie die Kinder von Einwanderern betreute. Auch in Boston verbrachte sie ihre Freizeit meistens auf dem Flugplatz.

Am 17. und 18. Juni 1928 flog Amelia Earhart zusammen mit dem Piloten Wilmer Stultz (1899–1989) und dem Mechaniker Louis „Slim" Gordon an Bord des Flugzeuges „Friendship" als erste Passagierin über den Atlantik. Dies geschah ein Jahr nach Charles A. Lindberghs triumphalem Nonstop-Flug im Mai 1927 von New York City nach Paris.

Der Start zum Atlantikflug erfolgte in Trepassey auf Neufundland, einer Insel vor der kanadischen Ostküste. Amelia Earhart trug eine geliehene mit Pelz gefütterte Fliegerkombination, saß unbequem im hinteren Teil der Maschine und führte das Logbuch. Während des Fluges durch dichte Wolken war die Sicht miserabel, der Funk ausgefallen und der Pilot nach 19 Stunden total übermüdet. Zuletzt hatten sie auch die Orientierung verloren und mit einem vorbeifahrenden Schiff keinen Kontakt aufnehmen können. Sie flogen immer weiter und ihre Lage wurde immer brenzliger. Doch irgendwann erblickten sie Boote, wenig später eine Küste und wasserten in der Bucht von Burry Port in Wales (Großbritannien). Ihr eigentliches Ziel war Irland gewesen, doch dieses Land hatten sie in den durchflogenen Wolkengebirgen nicht entdeckt. Der Flug von Neufundland nach Wales hatte ingesamt 20 Stunden 40 Minuten gedauert.

Nach der Rückkehr in die USA erlebte Amelia einen wochenlangen Triumphzug, während der Pilot Wilmer Stultz weitgehend unbeachtet blieb. Man feierte die schlaksige Blondine als Heldin und wählte sie zur „Frau des Jahres 1928". Bald war sie ein großes Idol vieler junger amerikanischer Frauen.

Ursprünglich hatte die junge Gattin des Millionärs Frederick Guest – angeregt durch Lindberghs Flug – geplant, sich in der von ihr gekauften dreimotorigen „Fokker" als Passagier nach

Europa fliegen zu lassen. Doch nach heftigem Streit im Familienkreis sollte an ihrer Stelle eine andere Frau mitfliegen. Bei der Suche nach einer geeigneten Kandidatin stieß der New Yorker Verleger George Palmer Putnam (1887–1950), ein Freund des Millionärs Guest, auf Amelia Earhart. Vor dem Start, der wegen schlechten Wetters immer wieder verschoben werden musste, schrieb Amelia Abschiedsbriefe an ihre Familienangehörigen, die sie „Abkratzbriefe" nannte und nur im Falle ihres Todes geöffnet werden sollten.

Im August 1929 nahm Amelia Earhart als eine von insgesamt 20 Pilotinnen – darunter auch Thea Rasche (1899–1971) aus Deutschland – am ersten „Cleveland Women's Air Derby" teil. Dieser Überlandflug-Wettbewerb für Pilotinnen vom 18. bis 26. August 1929 gilt als erster Frauen-Luftwettkampf der Weltgeschichte. Die insgesamt 4.500 Kilometer lange Strecke von Santa Monica (Kalifornien) nach Cleveland (Ohio) war in Tagesetappen von jeweils rund 500 Kilometern eingeteilt. Teilnehmen durften nur Frauen mit Pilotenschein und mindestens 100 Stunden Flugerfahrung. Bei diesem „Frauen-Luftderby" wurde Amelia finanziell und moralisch von Putnam unterstützt.

Die amerikanische Presse berichtete nicht fair über dieses berühmte Derby, das man als „Puderquastenrennen" („Powder-Puff-Derby"), „Lippenstift-Derby" oder „Pettycoat-Derby" bezeichnete. Männliche Journalisten forderten allen Ernstes sogar eine Absage des Derbys. Man prophezeite, die Pilotinnen würden sich im Kampf wohl gegenseitig die Haare ausreißen und mit Haarnadeln stechen. Das Vorurteil, dass Frauen nicht fliegen können, sah man als bestätigt an, weil die Amerikanerin Marvel Crosson (1904–1929) bei dem Derby abstürzte und starb.

Aufgrund vernichtender Reaktionen der US-Presse auf das Wettrennen trafen sich Amelia Earhart und andere amerikanische Pilotinnen am 2. November 1929 in einem Hangar auf dem Flugplatz „Curtiss Field" in Valley Stream auf Long Island (New York), und gründeten den „Club der Neunundneunzig" („Ninety Nines"). Dieser Club sollte die Stellung der Frau in der Luftfahrt stärken. Er vertrat die Interessen von 99 der 117 weiblichen Piloten mit Flugschein, die es zum Zeitpunkt seiner Gründung in den USA gab. Er setzte sich beispielsweise dafür ein, dass Frauen an Luftrennen und Wettflügen teilnehmen konnten. Amelias Popularität und ihr unermüdlicher Einsatz bewirkten, dass Pilotinnen beim Publikum und bei Ausrichtern von Flugveranstaltungen bald mehr Akzeptanz fanden. Amelia war von 1931 bis 1933 die erste offizielle Präsidentin von „Ninety Nines" und setzte sich in dieser Eigenschaft unermüdlich für ihre feministischen Ziele ein. Heute sind die „Ninety Nines" die weltweit größte Pilotenvereinigung mit Sektionen in fast allen Ländern der Welt. Die Pilotenvereinigung gewann als Interessensverband bald weltweiten Einfluss in der Luftfahrt.

Immer wieder betonte Amelia Earhart, dass es ihr mit ihren wagemutigen Flügen auch darum gegangen sei, zu beweisen, dass Frauen zu technischen Höchstleistungen in der Lage seien. Sie setzte sich auch dafür ein, dass Frauen ihre Zulassung an technische Hochschulen bekamen, unterstützte junge Frauen bei der Berufswahl und half ihnen, in technischen Berufen Fuß zu fassen.

1929 wurde Amelia Earhart als Funktionärin für die „National Aeronatic Association" gewählt. In dieser Eigenschaft inspirierte sie die „Fédéral Aéronautique Internationale" („FAI") dazu, separate Höhen-, Geschwindkeits- und Ausdauerrekorde für Frauen einzuführen.

An Ehe und Mutterschaft dachte Amelia Earhart kaum. 1930 schrieb sie einer Freundin: „Ich halte noch immer nichts von der Ehe. Ich glaube, dass ich vielleicht nie etwas anderes als einen Käfig in ihr sehen kann." Ihr wird auch der Satz zugeschrieben: „Es dauert zu lange, ein Baby zu machen."

Doch im Februar 1931 erhörte Amelia Earhart den sechsten Heiratsantrag von George Palmer Putnam und heiratete ihn widerstrebend. Sie befürchtete, dass die Ehe sie in ihrer Fliegerei einschränken könnte, wollte keine Kinder bekommen und vereinbarte mit Putnam eine „offene Ehe".

Am 20. Mai 1932 flog Amelia Earhart als erste Frau mit ihrer einmotorigen „Lookheed Vega" in 14 Stunden 56 Minuten von Harbor Grace auf Neufundland (Kanada) über mehr als 3.200 Kilometer Wasserwüste des Atlantik bis fast nach Londonderry in Nordirland. Dies war ein schwieriges Unterfangen gewesen: Wenige Stunden nach dem Start flog sie in eine Schlechtwetterfront, fiel ihr Höhenmesser aus, vereisten die Tragflächen, wurde das Flugzeug immer schwerfälliger und tropfte Benzin aus einem gerissenen Auspuffkrümmer. Als sie mit ihrer Maschine tiefer ging, geriet diese ins Trudeln und stürzte fast 1.000 Meter senkrecht in die Tiefe, bevor sie wieder abgefangen werden konnte. Obwohl sie nicht – wie geplant – auf dem Flughafen von Paris, sondern auf einer Wiese inmitten einer Kuhherde in Nordirland gelandet war, galt ihr Flug als eine Sensation. Damit war sie der erste Mensch, der zwei Mal in der Luft den Atlantik überquert hatte: einmal als Passagier und einmal als Pilotin.

Nach diesem Rekordflug wurde Amelia Earhart in London von Hunderttausenden umjubelt. Zwei Wochen später bereitete man ihr in New York City einen triumphalen Empfang. Für ihren Rekordflug wurde Amelia von Präsident Herbert Clark Hoover (1874–1964) mit der Goldmedaille der „National Geographic Society" geehrt. Außerdem erhielt sie als erste Frau das „Distinguished Flying Cross". In ihrer Dankesrede erklärte sie, einige Aspekte ihres Fluges seien übertrieben dargestellt worden. Sie sei nicht mit den letzten Litern Treibstoff gelandet, sondern habe noch über 400 Liter verfügt, und sie habe bei der Landung auch keine Kuh getötet, es sei denn, eine wäre vor Angst gestorben. 1932 zeichnete man sie auch mit der „Internationalen Harmon Trophy" als „beste Fliegerin der Welt" aus.

Im August 1932 flog Amelia Earhart von Los Angeles (Kalifornien) nach Newark (New Jersey). Für diese 3.987 Kilometer lange Strecke benötigte sie 19 Stunden 5 Minuten. Ein Jahr darauf wiederholte sie diesen Solo-Transkontinentalflug über den amerikanischen Kontinent und war mit 17 Stunden 7 Minuten rund zwei Stunden schneller.

Am 11. Januar 1935 glückte Amelia Earhart der erste Flug von Hawaii zum rund 4.000 Kilometer entfernten amerikanischen Festland. Amelia war der erste Mensch, dem dieses gefährliche Unternehmen gelang. 18 Stunden 15 Minuten nach ihrem Start in Honolulu auf Hawaii auf der nach einem Wolkenbruch in einen Sumpf verwandelten Rollbahn landete sie wohlbehalten in Oakland. Dort hießen sie schätzungsweise 10.000 Menschen willkommen. Ebenfalls 1935 unternahm sie einen Alleinflug von Los Angeles nach Mexico-City in 13 Stunden 23 Minuten. Groß war der Jubel, als sie 1935 nach einem 14 Stunden 19 Minuten langen Flug von Mexico City über den Golf von Mexiko in Newark landete.

Im März 1937 startete Amelia Earhart zu einem Weltflug. Doch schon auf Hawaii wurde ihre Maschine durch einen Brand so schwer beschädigt, dass sie in die amerikanische Hauptstadt Washington zurückkehrte.

Am 20. Mai 1937 erhob sich Amelia Earhart in Miama (Florida) mit ihrem zweimotorigen roten Flugzeug „Lockhead Elektra" erneut zu einer Erdumrundung, wie sie zuvor noch kein Pilot gewagt hatte. Die Rückkehr in Amerika war für den 4. Juli 1937, den Unabhängigkeitstag der USA, geplant, doch es kam ganz anders.

Nach Landungen in Brasilien, Westafrika, Kalkutta, Rangun und Neuguinea nahm Amelia Earhart am 2. Juli 1937 vollaufgetankt die gefährlichste Etappe ihres Abenteuers in Angriff: den Flug von Lae auf Nordguinea zur kleinen Insel Howland nördlich von Samoa. Etwa 20 Stunden nach dem Start in Lae hörten die Funker britischer und amerikanischer Schiffe SOS-Signale der Maschine von Amelia, mit denen Benzinmangel gemeldet wurde.

Offenbar hatten die nach vierwöchigen Strapazen völlig erschöpfte Amelia Earhart und ihr Navigator Fred Noonan (1893–1937) das nur drei Kilometer lange und weniger als einen Kilometer breite Atoll in den Weiten des Pazifik nicht gefunden. Bei der Suchaktion, an der sich 64 Flugzeuge und acht Kriegsschiffe beteiligten, entdeckte man nicht die geringste Spur von Maschine und Besatzung. Auf der Howlandinsel erinnert ein Leuchtturm, der ihren Namen erhielt, an die unvergessene Fliegerin, die am 5. Januar 1939 für tot erklärt wurde.

Um das Verschwinden von Amelia Earhart ranken sich verschiedene Legenden. Laut einer Version sollen 1944 amerikanische Flieger auf einer einsamen Insel im Stillen Ozean angeblich eine Frau angetroffen haben, die ihren Namen nicht nannte und der Verschollenen ähnlich sah. Einer anderen Version zufolge soll Amelia Earhart im Auftrag des US-Nachrichtendienstes „planmäßig" verschwunden sein, um den Amerikanern einen plausiblen Vorwand zu verschaffen, japanische Befestigungen auf den Südseeinseln auszuspionieren.

Manche Hinweise stützen die Theorie, Earhart und Noonan hätten auf dem unbewohnten Atoll Gardner Island (seit 1979 Nikumnaroro), einem Atoll der Phönixinseln, notlanden müssen und dort zunächst überlebt. In diesem Zusammenhang ist von einem Biwak, Damenschuhen, einer leeren Sextantenkiste, Flugzeugteilen und Skelettknochen, die man auf dem Atoll fand, die Rede.

Nach einer weiteren Theorie sollen im Sommer 1945 amerikanische Besatzungssoldaten auf den Marshallinseln Hinweise dafür entdeckt haben, dass 1937 eine Fliegerin nahe der

Ritainsel notgelandet und von den Japanern gefangengenommen worden sei.

Nach einer besonders phantasievollen Deutung sollen Earhart und Noonan sich während ihres Fluges verliebt und ihr Verschwinden inszeniert haben, um glücklich auf einer einsamen Insel leben zu können. Andererseits hieß es auch, Earhart sei in die USA zurückgekehrt und habe dort als einfache Hausfrau gelebt.

Untersuchungen ergaben jedoch, dass es keinen Grund gibt, anzunehmen, Amelia Earhart und ihr Begleiter Fred Noonan wären jemals aufgefunden worden oder seien noch am Leben. Amelia Earharts Ehemann George P. Putnam gab 1937 das Buch „Last Flight" heraus. 1939 folgte die von ihm verfasste Biographie „Soaring Wings". Das abenteuerliche Leben von Amalia Earhart bot auch anderen Autoren reichlich Stoff für Bücher, Filme, Fernsehproduktionen und Musikstücke. Von „Women in Aviation International" wurde sie 2003 als eine der 100 wichtigsten Frauen in der Luftfahrt geehrt.

Rita Maiburg

Einer der ersten weiblichen
Linienflugkapitäne

Zu einem der ersten weiblichen Flugkapitäne der westlichen Welt im regulären Liniendienst hat sich trotz
mancher Schwierigkeiten in den 1970-er Jahren die deutsche
Pilotin Rita Maiburg (1951–1977) hochgearbeitet. Allerdings
wussten die ihr anvertrauten Passagiere nicht, dass eine Frau
im Cockpit saß. Denn per Durchsage hieß man sie nur im
Namen von „Flugkapitän Maiburg" willkommen. Die
sympathische Fliegerin fand in jungen Jahren bei einem
Autounfall den Tod.
Rita Maiburg kam am 23. Juni 1951 als ältestes von vier
Kindern des Architekten Alois Maiburg und seiner Frau
Gertrud in Bonn am Rhein zur Welt. Sie besuchte von 1957
bis 1961 die Grundschule in Bonn und von 1961 bis 1968
das neusprachliche Mädchengymnasium in Hersel bei Bonn,
wo sie mit der „Mittleren Reife" abschloss. Schon als Schülerin
träumte sie von weiten Reisen und vom Fliegen.
Die Flugausbildung von Rita Maiburg begann im August 1967
mit dem Beitritt in den „Segelflieger-Verein Vorgebirge e. V.",
wo sie die A-, B- und C-Prüfung ablegte. Im Frühjahr 1969
erwarb sie an der „Luftfahrerschule Nordrhein-Westfalen" in
Bonn-Hangelar die Privatpilotenlizenz („PPL"). Von Juni

1969 bis November 1970 absolvierte Rita Maiburg eine Ausbildung im mittleren nichttechnischen Betriebsdienst der „Bundesanstalt für Flugsicherung" in Köln. Danach ließ sie sich von Januar 1971 bis Mai 1972 an der „Fachschule für Verkehrsluftfahrt" in Mülheim/Ruhr zum Berufspiloten ausbilden.

Zwischen August 1971 und Januar 1972 arbeitete Rita Maiburg bei einem privaten Unternehmen in München als Kopilotin und Bürokraft. Diese Beschäftigung verlor sie, als die Firma ihr Flugzeug verkaufte. Daraufhin meldete sie sich beim Arbeitsamt in Brühl als arbeitslos und blieb zwei Jahre ohne Job. In dieser schwierigen Lage strengte sie auf Anregung und mit finanzieller Unterstützung der Kölner Journalistin Barbara Schleich einen Prozess gegen die Bundesrepublik Deutschland und die „Deutsche Lufthansa" an, mit dem sie eine Anstellung bei jenem Luftfahrtunternehmen erreichen wollte, das damals keine Frauen als Piloten ausbildete und fliegen ließ.

Im August 1976 fällte in zweiter und letzter Instanz das Oberverwaltungsgericht Münster die Entscheidung, die Klage sei abzulehnen. Als Rita Maiburg das Urteil zugestellt wurde, besaß sie bereits eine Stelle als Kopilotin bei der „Deutschen Luftverkehrsgesellschaft" („DLT"), die ihr das Arbeitsamt vermittelt hatte. Die „DLT" flog ab Ende 1975 für die „Lufthansa" von Frankfurt am Main nach Saarbrücken. In diesem Jahr bediente sie auch die Strecken Münster/Osnabrück-Frankfurt, Paderborn/Lippstadt-Frankfurt, Hof-Bayreuth-Frankfurt, Hof-Bayreuth-Nürnberg-Stuttgart, Bremen-Düsseldorf, Friedrichshafen-Zürich, Friedrichshafen-Stuttgart und Friedrichshafen-München-Nürnberg.

Bereits Ende 1976 stieg Rita Maiburg zu einem der ersten weiblichen Flugkapitäne im regulären Liniendienst der westlichen Welt auf. Die Bulgarin Maria Atanasova kommandierte damals eine düsengetriebene Frachtmaschine, die Engländerin

Yvonne Sintes war Captain bei einer britischen Chartergesellschaft.

Beim Flug von Saarbrücken nach Frankfurt am Main hörten die Passagiere einer 20-sitzigen „DHC-6 Twin Otter" verwundert die Durchsage der Stewardess: „Im Namen von Frau Flugkapitän Rita Maiburg heiße ich Sie..." Schon am nächsten Morgen wurde die Stewardess gebeten, nochmals auf den von der Geschäftsleitung formulierten Ansagetext „Im Namen von Flugkapitän Maiburg heiße ich Sie ..." verpflichtet.

Der Geschäftsführer von „DLT", Christian von Kaltenborn-Stachau, erklärte das Verschweigen der Tatsache, dass es sich bei Flugkapitän Maiburg um eine Frau handelte, damit, dass diese wie die anderen 70 Angestellten seiner Firma ihren Dienst tue. Er wolle nicht, dass sie extra erwähnt werde.

„Deutschlands fliegendes Geheimnis", wie Rita Maiburg genannt wurde, war langhaarig, blond, grünäugig, 1,73 Meter groß und 62 Kilogramm schwer. Ab März 1977 flog sie ihre erste zweimotorige und 30-sitzige Turboprop-Maschine des Typs „Short 3/30", für die sie als Kapitän in England ihr „Typerating" machte. Ein „Typerating" ist eine Musterberechtigung, die zum Führen eines bestimmten Luftfahrzeuges berechtigt.

Als Flugkapitän bezog Rita Maiburg 1977 ein Tarifgehalt von 2.700 Mark brutto, was 1.800 Mark netto entsprach. Davon musste sie monatlich 300 Mark für ihren Ausbildungskredit zurückzahlen. Ihre Ausbildung zum Berufspiloten hatte 38.000 Mark gekostet, wovon ihr Vater den größten Teil spendierte, 12.000 Mark lieh sie von der Bank.

Zum Vergleich: Ein Lufthansa-Pilot, dessen Ausbildung von der Firma finanziert wurde, begann damals als 21-Jähriger mit einem Monatsgehalt von 2.850 Mark. Im Alter von Rita Maiburg verdiente derselbe Mann als Kopilot schon 4.200 Mark. „Jumbo"-Kapitäne bezogen mit 14.200 Mark das höchste Lufthansa-Gehalt.

Manch anderen deutschen Berufsfliegerinnen ist es jedoch noch viel schlechter als Rita Maiburg gegangen. Die Kopilotin Elisabeth Friske beispielsweise war an Bord der Unglücks-maschine „BAC 1–11", die am 6. September 1971 bei Hamburg abstürzte, wobei 22 Menschen ihr Leben verloren. Sie blieb jahrelang arbeitslos, ehe sie wieder als Kopilotin auf einem Lear-Jet der „Holsten-Flug GmbH" starten durfte. Die Kopilotin Sigrid Neuhaus wurde nach dem Konkurs der „Aviaction" arbeitslos und fand keine ausbildungsgerechte Stellung mehr.

Trotz ihres Traumberufes konnte Rita Maiburg ihre Sehnsucht nach fernen Ländern kaum befriedigen. Als Pilotin einer regionalen Fluggesellschaft hatte sie kaum Möglichkeiten, internationale Ziele anzufliegen. Bis Mitte Mai 1977 war sie nur einmal im italienischen Brindisi und einmal im nord-irischen Belfast.

Rita Maiburg verlor auf tragische Weise früh ihr Leben: Auf der Fahrt mit ihrem Auto zum Flughafen Münster-Osnabrück stieß sie am 2. September 1977 im dichten Nebel frontal mit einem Milchtankwagen zusammen. Sie war bereits am frühen Morgen um 6.30 Uhr in Greven bei Münster gestartet, um ihre Turboprop-Maschine „Short 3-30" nach Frankfurt am Main zu fliegen.

Nach ihrem Unfall lag die schwerverletzte Rita Maiburg in der Intensiv-Station des Krankenhauses Greven. „Ich muss hier raus, die haben doch keinen Ersatz für mich", waren ihre letzten verständlichen Worte. Obwohl die Ärzte verzweifelt um ihr Leben kämpften, erlag Rita Maiburg am 9. September 1977 im Alter von nur 26 Jahren einer Lungenembolie.

Wenn es darum geht, in einer deutschen Stadt einen wohl-klingenden Namen für eine Straße in Flughafennähe zu finden, ist Rita Maiburg oft eine Kandidatin. Eine Rita-Maiburg-Straße gibt es zum Beispiel bereits in Filderstadt (Baden-Württemberg) und Köln-Ossendorf (Nordrhein-Westfalen).

Christa McAuliffe

Die amerikanische
Nationalheldin

Zur tragischen Nationalheldin wurde die 37 Jahre alte
amerikanische Lehrerin Christa McAuliffe (1948–1986),
geborene Corrigan, die am „Lehrer-im-Weltraum-Programm"
der Raumfahrtbehörde „NASA" teilnahm. Statt Tausenden von
Schülerinnen und Schülern von Bord der Raumfähre
„Challenger" Unterricht aus dem Weltall zu geben, starb sie
zusammen mit der Besatzung bereits kurz nach dem Start.
Christa Corrigan kam am 2. September 1948 in Boston
(Massachusetts) zur Welt. Sie besuchte die „Marian High
School" in Framingham, engagierte sich in der Kirche und im
Sport und wurde Pfadfinderin. Entgegen dem Rat ihres Vaters,
sie solle an einer auswärtigen Universität studieren, besuchte
sie das „Framingham State College" und erwarb dort einen
Bachelor-Grad. Auf diese Weise sparte sie Geld für ihre
jüngeren Geschwister. Als Teenager war Christa von Präsident
John F. Kennedy (1917–1963) und dessen Botschaft an die
Jugend fasziniert, dass es auf jeden Einzelnen ankomme. Später
wurde sie durch Diskussionen über den Vietnamkrieg geprägt.
Ab 1970 arbeitete Christa Corrigan an einer überfüllten
städtischen Schule in Maryland als Lehrerin. Ihr Motto hieß:
„Ich berühre die Zukunft. Ich unterrichte". Sie versuchte,

Schülern die Bedeutung von politischem Engagement nahezubringen. Ebenfalls 1970 machte sie ihren Abschluss in Geschichte und heiratete ihren Jugendfreund Steven McAuliffe.

1976 brachte Christa McAuliffe den Sohn Scott und 1979 die Tochter Caroline zur Welt. 1978 erwarb sie am „Bowie State College" in Bowie (Maryland) einen Master-Grad. Nach Abschluss der Ausbildung zog das Ehepaar McAuliffe mit seinen zwei Kindern nach Concord in New Hampshire. Dort erteilte Christa McAuliffe an der High School Geschichtsunterricht. Sie vertrat eine Pädagogik des Lernens aus erster Hand und vor Ort, stellte persönliche Erfahrung in den Mittelpunkt ihres Unterrichts, leitete Felduntersuchungen und gab innovative Projektaufgaben.

Stark beeindruckt wurde Christa McAuliffe von den Tagebüchern amerikanischer Pionierinnen. Sie entwickelte einen High School-Kurs „Die amerikanische Frau", bei dem Schülerinnen und Schüler ein Tagebuch führen und andere Tagebücher lesen sollten. Wichtig erschien ihr, dass ihre Schülerinnen und Schüler die Bedeutung einfacher Leute für die Geschichte würdigten.

Die „Demokratische Partei" von New Hampshire machte sich Hoffnungen, sie könnte mit Christa McAuliffe im notorisch republikanischen US-Bundesstaat Boden gutmachen. Doch die Lehrerin für Englisch und Geschichte ließ sich nicht politisch festlegen.

Als begeisterte Befürworterin des Lehrerinnenberufs wurde Christa McAuliffe Präsidentin der Lehrerinnengewerkschaft und setzte sich für die Verbesserung des Status der pädagogischen Berufe ein. Als sie vom „Teacher-In-Space-Programm" („Lehrer-im-Weltraum-Programm") der US-Raumfahrtbehörde „National Aeronautics and Space Administration" („NASA") erfuhr, bewarb sie sich als Kandidatin. Bei diesem Projekt sollte eine Lehrerin das Raumfahrtzeitalter menschlicher machen, indem sie es aus der Sicht einer Nicht-Astronautin schilderte.

In ihrer Bewerbung schrieb Christa McAuliffe: „Als Frau war ich immer neidisch auf Männer, die am Raumfahrtprogramm teilnehmen konnten. Ich fand, dass Frauen tatsächlich ausgeschlossen waren von einem der spannendsten Berufsfelder, die es gab. Diese Gelegenheit, meine Fähigkeiten als Pädagogin mit meinen Interessen für Geschichte und Raumfahrt zu verbinden, ist eine einzigartige Chance, meine früheren Träume wahrzumachen. Ich war bei der Geburt des Raumfahrtzeitalters dabei, und ich möchte gerne mitmachen".

Tatsächlich wurde Christa McAuliffe unter mehr als 11.000 Kandidatinnen ausgewählt. Am 20. Juli 1985 erfuhr sie im „Weißen Haus" in Washington von Vizepräsident George Bush, dass sie den Wettbewerb für den ersten Flug eines Lehrers mit einer Raumfähre („Space Shuttle") in den Weltraum gewonnen hatte. Sie war zunächst sprachlos, fand sich dann aber schnell mit ihrer neuen Popularität zurecht.

Die „NASA" war sich sicher, mit Christa McAuliffe eine Shuttle-Reisende ausgewählt zu haben, die „das richtige Zeug" dazu hatte. Zu ihren Ehren veranstaltete die Stadt Concord eine Festparade. Zahlreiche Journalisten baten um Interviews, und Christa lernte bald, auch freche Fragen geschickt zu beantworten. Weniger mutig als die Lehrerin war ihre Versicherung: Diese wollte das Risiko des ungewöhnlichen Schulausflugs nicht tragen und kündigte die Lebensversicherung. Daraufhin musste sich Christa bei Lloyds neu versichern.

Während der Zeit, in der Christa McAuliffe für das Training zum Weltraumflug – insgesamt 114 Stunden – vorübergehend ins „Johnson Space Center" in Houston (Texas) umziehen musste, veränderte sich auch das Leben ihres Mannes Steven und der beiden Kinder, die das Kommando zuhause in Concord übernahmen. Wenn ihr die Umstellung und die neue Aufgabe schwer fielen, wusste sie das gut zu verstecken. Meistens sah man sie mit einem fröhlichen, optimistischen Lachen.

Als Teil ihres Programms in der Raumfähre „Challenger" („Herausforderer") plante Christa McAuliffe zwei halbstündige Lektionen direkt aus dem Weltall und ein Tagebuch über ihre einzigartigen Erfahrungen. Die erste Lektion hieß „Der ultimative Ausflug", die zweite „Warum wir Amerikaner den Weltraum erforschen". Vom All aus wollte Christa McAuliffe den Kindern klar machen, dass man ab und zu etwas riskieren muss. Mit ihrer Teilnahme an dem Programm erhoffte sie, das öffentliche Interesse am darnieder liegenden Erziehungswesen beleben zu können.

Doch es kam leider ganz anders: 74 Sekunden nach dem Start der Mission „STS-51-L" am 28. Januar 1986 in Cape Canaveral (Florida) explodierte die Raumfähre „Challenger" mit Christa McAuliffe und sechs weiteren Crew-Mitgliedern an Bord in rund 15 Kilometern Höhe. Bei dem bis dahin schwersten Unfall in der Raumfahrtgeschichte der USA starben alle sieben Astronauten: der Kommandant Francis R. Scobee, der Pilot Michael J. Smith, die Missionsspezialisten Judith A. Resnik, Ellison S. Onizuka, Ronald E. McNair sowie die Nutzlastspezialisten Gregory B. Jarvis und Christa McAuliffe. Drei Monate später wurden ihre sterblichen Überreste aus dem Atlantik geborgen.

Die von Präsident Ronald Reagan berufene Untersuchungskommission legte vier Monate nach dem verhängnisvollen Januartag einen Bericht über die Ursache der Katastrophe vor. Demnach hatten Dichtungsringe an der rechten der beiden Zusatzraketen versagt und leicht entzündliche Gase freigesetzt. Warnungen von Ingenieuren, die vor einem Start in großer Kälte warnten, waren nicht beachtet worden.

Außerdem zählte die Untersuchungskommission einen ganzen Katalog von Mängeln bei der „NASA" auf. Demnach setzte ein umfangreicher Flugplan die Raumfahrtbehörde unter

Zeitdruck, die innerbetriebliche Kommunikation ließ zu wünschen übrig, und auch im NASA-Management lag einiges im Argen. Viele Warnungen wurden nicht ernst genommen und Risiken fahrlässig in Kauf genommen.

Trotz ihres tragischen Todes blieben die Überzeugungen und die Lebensarbeit von Christa McAuliffe lebendig. In ihrem Geist sind College- und Unterrichts-Stipendien, ein Lehrzentrum und ein Planetarium geplant und benannt worden. Auch ein Asteroid trägt ihren Namen. Als Asteroid wird ein kleiner Planet bezeichnet.

Victoria van Meter

Die jüngste Fliegerin
der Welt

Als jüngste Pilotin aller Zeiten erregte in den 1990-er Jahren das amerikanische Mädchen Victoria („Vicki") van Meter (1982–2008) weltweit Aufsehen. 1992 steuerte Vicki als Zehnjährige erstmals in ihrem Leben ein Flugzeug. 1993 überflog sie als Elfjährige die USA und 1994 überquerte sie als Zwölfjährige den Atlantik. Dies alles machte sie ohne Fluglizenz, denn eine solche darf man in den Vereinigten Staaten erst als 16-Jährige erwerben!

Vicki van Meter wurde am 13. März 1982 in Meadville, einer verschlafenen Stadt mit rund 14.000 Einwohnern in Pennsylvania, als jüngstes von drei Kindern ihrer Eltern geboren. Ihr Vater James van Meter arbeitete als Börsenmakler, besaß 30 Jahre lang eine Pilotenlizenz und übertrug seine Begeisterung für die Fliegerei auf seine Tochter. Ihre Mutter war eine ehemalige Lehrerin, die wegen der Kinder ihren Beruf aufgab und gerne Kuchen backte.

Bereits im Kindesalter träumte Vicki davon, einmal Astronautin zu werden. Ein Zufall half ihr, früh das Fliegen zu lernen. Im Herbst 1992 erfuhr ihr Vater, dass eine neue Flugschule eröffnet worden war, und schlug Vicki vor, bei einer Flugstunde zu testen, ob sie gerne in die Luft gehen wolle. So kam es, dass die begeisterte Zehnjährige am 1. Oktober 1992 erstmals mit ihren Händen und Füßen ein Flugzeug steuerte. Die aufgeregte Mutter stellte erfreut fest: „Als sie damals abhob, konnte ich sehen, dass es ihr wirklich Spaß macht".

Vom 20. bis 23. September 1993 sorgte die elfjährige Vicki van Meter erstmals international für Aufsehen in den Medien. Damals wagte die Schülerin, die aufgrund ihres niedrigen Alters noch nicht einmal mit dem Mofa zur Schule hätte fahren dürfen, einen Flug von Augusta (Maine) an der Ostküste nach San Diego (Kalifornien) zur Westküste der USA. Sie hatte die Strecke generalstabsmäßig ausgearbeitet und auf einer Karte eingezeichnet.

Vor dem Start auf dem Airport von Augusta im US-Bundesstaat Maine sprach Vicki in die Mikrofone: „Ich habe da oben keine Angst, ich finde das sehr spannend". Sie bestieg eine siebeneinhalb Meter lange einmotorige Propellermaschine des Typs „Cessna 172", prüfte Höhenmesser, Seitenruder und Treibstoffmenge, setzte sich den etwas zu großen Kopfhörer auf und nahm Funkkontakt mit dem Lotsen im Tower auf.

Dann startete die jüngste Pilotin in der Geschichte der Luftfahrt von einem zum anderen Ende der USA. Steuerung, Navigation und Funkkontakt mit der Flugüberwachung lagen während des Fluges allein in ihrer Verantwortung. Der Fluglehrer Bob Baumgartner saß nur für den Notfall an ihrer Seite. Allein hätte sie gemäß den geltenden Vorschriften nicht abheben dürfen.

Bei einer Zwischenlandung in Harrisburg (Pennsylvania) berichtete Vicki – routiniert wie der Kapitän eines Jumbo-Jets –, der Flug sei bisher problemlos verlaufen, das Wetter okay, und sie flöge gegen den Wind. Meistens unterhalte sie sich mit ihrem Fluglehrer über die interessanten Dinge, die sie unter sich sehen könne.

Vickis Eltern Corinne und James van Meter reisten ihrer Tochter mit Linienmaschinen zum jeweils nächsten Übernachtungsstopp hinterher. Beide waren stolz auf ihr mutiges Mädchen, das nach einem 4.666 Kilometer langen Flug wohlbehalten in San Diego (Kalifornien) landete.

Bei einer „Air Show" in Meadville 1993 war die sportliche Vicki van Meter der Star. Bürgermeister Tony Petruso erklärte stolz, nichts in der 206-jährigen Geschichte habe Meadville mehr Bekanntheit beschert als Vicki, nicht einmal die Erfindung des Talon-Reissverschlosses in den 1890-er Jahren.

Das nächste große Abenteuer von Vicki van Meter begann am 4. Juni 1994 wiederum auf dem „Augusta Airport" in Maine. Von dort aus startete sie zu einem Flug über den Atlantik nach Schottland. Bei diesem Abenteuer trug sie einen Überlebensanzug aus Neopren, mit dem sie notfalls im kalten Wasser 24 Stunden lang schwimmen konnte. Zwischenstopps waren in Kanada, Grönland und Island vorgesehen. Als die Zwölfjährige in eine einmotorige „Cessna 210" stieg, sagte sie: „Wenn du dir etwas in den Kopf gesetzt hast, dann kannst du es auch erreichen". Ihr Ziel war es, auf den Spuren der legendären amerikanischen Fliegerin Amelia Earhart (1897–1937) zu wandeln, die 1932 als erster weiblicher Pilot den Atlantik überquerte.

Die Eltern von Vicki van Meter machten sich wegen des Atlantikfluges große Sorgen. Der Vater sagte, wenn bei einem Flug über das Land etwas schief gegangen wäre, habe er gewusst, dass seine Tochter notfalls auf einer Autobahn landen könne. Aber bei einem Flug über den Atlantik gebe es keinen Landeplatz. Von Kanada bis nach Grönland beispielsweise lägen 700 Meilen offenes Meer. Er werde sehr erleichtert sein, wenn dies zu Ende sei.

Während des Atlantikfluges folgten die Eltern von Vicki van Meter ihrer Tochter in einem zweimotorigen Flugzeug, das die „British Broadcasting Corporation" („BBC") für eine

Dokumentation über dieses Abenteuer gechartert hatte. Nach der glücklichen Landung am 7. Juni 1994 in Glasgow (Schottland) flog Vicki für eine Woche in ganz Europa. Dabei machte sie Zwischenstation in London, Paris, Brüssel und Frankfurt am Main.

Die spektakulären Flüge und professionellen TV-Auftritte von Vicki van Meter erregten in der Öffentlichkeit großes Aufsehen. Trotzdem beteuerte ihr Vater, alle in seiner Familie seien ganz normale Menschen. Besuchern zeigte die Familie gerne gerahmte Fotos von Vicki mit Prominenten wie Vizepräsident Al Gore, der ihr und ihrer Schulklasse bei einem Rundgang das „Weiße Haus" gezeigt hatte. Die Zahnspangen, Sweat Shirt und Jeans tragende Vicki beteuerte, sie wage ihre Flugabenteuer für die Herausforderung und nicht für die Öffentlichkeit. Als sie mit dem Fliegen begonnen habe, hätte sie nie gedacht, dass sie jemals bis nach Erie, 30 Meilen nördlich ihres Wohnortes, kommen könnte.

Für die Flugstunden und für den Theorieunterricht gab die Familie Van Meter mehr als 10.000 Dollar aus, die eigentlich für die Zeit später am College gedacht waren. Der Vater hoffte, diese Investiton würde sich mit einer Berufung an die „Naval Academy" auszahlen, die bereits Sweatshirts und T-Shirts geschickt hatte.

Vicki van Meter wünschte sich, später einmal Astronautin zu werden. Sie glaubte, wenn sie alt genug dafür sei, werde es bereits Expeditionen zum Mars geben. Wenn dies allerdings nicht klappen sollte, meinte sie, wolle sie zumindest Pilotin auf einer großen Linienmaschine werden. Doch es kam ganz anders ...

Ab dem Alter von 16 Jahren litt Vicki van Meter unter starken Depressionen. Zu dieser Zeit hatte sie Gefühle wie Traurigkeit, Wertlosigkeit, Schuld, Scham, Einsamkeit, Hoffnungslosigkeit, Angst und wenig Energie. Ihr behandelnder Arzt verschrieb ihr ein Medikament, das bald ihr Leiden linderte.

Sie war weniger ängstlich, hatte seltener Weinkrämpfe und fühlte sich weniger aussichtslos.

Etwa ein Jahr später ging Vicki van Meter auf das College und beschloss, keine Antidepressiva mehr einzunehmen. Doch der Wechsel auf das College war schwieriger als gedacht und sie erlebte eine zweite depressive Episode mit Gefühlen wie Angst, Hoffnungslosigkeit, Schuld, Scham und Reizbarbeit. Sie isolierte sich immer mehr von anderen Menschen und hatte große Mühe, sich zu konzentrieren. Ihr Arzt verordnete ihr versuchsweise zwei andere Depressiva. Bei einem Medikament wurde sie sehr müde, obwohl sie es nachts einnahm, und hatte schreckliche Albträume. Beim anderen Medikament nahm ihre Angst zu und hatte sie zunehmend Schlafstörungen.

2003 gehörte Vicki van Meter zu 37 weiblichen Piloten, die bei der Wanderausstellung „Frauen and Flight. Portrait of Contemporary Womens Pilots" – basierend auf einem gleichnamigen Buch von Carolyn Russo – in den USA vorgestellt wurden.

Nach ihrem Abschluss an der „Edinboro University" diente Vicki van Meter beim Friedencorps („Peace Corps") als Freiwillige in Moldawien. Danach arbeitete sie für eine Versicherungsgesellschaft und plante ein Aufbaustudium.

Vicki van Meter starb am 15. oder 16. März 2008 in ihrem Geburtsort Meadville durch eine selbst zugefügte Schussverletzung. Ihre Familie war von dem Selbstmord sehr überrascht. Sie hatte geglaubt, die Depressionen seien überwunden.

Die fliegerischen Rekorde von Vicki van Meter im Kindesalter können nicht mehr gebrochen werden. Nach dem tödlichen Absturz der siebenjährigen Jessica Whitney Dubroff am 11. April 1996 in Cheyenne (Wyoming) wurden neue gesetzliche Bestimmungen erlassen, die solche frühen Flugabenteuer verbieten. Jessica hatte versucht, die jüngste Person, die in den USA ein Flugzeug flog, zu werden. Bei dem während eines plötzlichen Sturms erfolgten Absturz waren auch ihr Fluglehrer Joe Reid und ihr Vater Lloyd Dubroff ums Leben gekommen.

Hanna Reitsch

Die Pilotin
der Weltklasse

Eine der besten, berühmtesten und erfolgreichsten Fliegerinnen der Welt war die Deutsche Hanna Reitsch (1912–
1979). Ihr Ruf als Pilotin von Weltklasse beruhte auf mehr
als 40 Rekorden aller Klassen und Flugzeugtypen. Unter
anderem wurde sie der erste weibliche Flugkapitän, flog als
erste Frau einen Hubschrauber und unternahm den ersten
Hubschrauberflug in einer Halle.
Hanna Reitsch kam am 29. März 1912 als zweites von drei
Kindern des Augenarztes Willy Reitsch und seiner aus einer
alten Tiroler Adelsfamilie stammenden Ehefrau Emy Helff-
Hibler von Alpenheim in Hirschberg im Riesengebirge
(Schlesien) zur Welt. Ihr Vater leitete eine Augenklinik, die
als Privatklinik dem dortigen Diakonissenhaus angegliedert
war. Ihr älterer Bruder hieß Kurt (geboren 1908), ihre jüngere
Schwester Heidi (geboren 1916).
Als Vierjährige wollte Hanna mit ausgebreiteten Armen vom
Balkon des Elternhauses springen. Als ihre Mutter dies
verhinderte und sagte „Kind – dann wärst du ja tot", fragte
Hanna: „Wär ich dann beim lieben Gott? Tät er mich dann
fragen: Hannerl, woll'n wir's hageln lassen?" Damals imponierte ihr nichts mehr als ein starker Hagel.

Obwohl Hanna gern und leicht lernte, blieb sie eine durchschnittliche Schülerin. Ihr Übermut brachte ihr manchen Verweis ins Klassenbuch ein. Einmal löste sie während des Unterrichts die Jagd auf eine Maus im Klassenzimmer aus, obwohl dort gar keine war. Hausaufgaben erledigte die sportliche und schwindelfreie Hanna oft in der Krone eines Baumes. Wenn sie sich ungerecht behandelt fühlte, versteckte sie sich im Wald.

Nach dem Schulunterricht machte Hanna oft einen Umweg zur Klinik ihres Vaters und erzählte den Patienten Geschichten, um sie von ihrer Krankheit abzulenken. Bereits mit 12 Jahren wünschte sie sich, fliegende Missionsärztin zu werden. Der Traum, fliegen zu können, ließ sie fortan nicht mehr los. In ihrer Freizeit radelte sie oft heimlich nach Grunau/Riesengebirge und sah Segelflugschülern auf dem Galgenberg zu.

1931 legte die 19-Jährige am Realgymnasium in Hirschberg ihr Abitur ab. 1931/1932 besuchte die 1,54 Meter große und zierliche Hanna die „Koloniale Frauenschule" in Rendsburg. Dabei handelte es sich um eine hauswirtschaftliche Schule, in der Mädchen auf das Leben in den Kolonien vorbereitet wurden. In den Herbstferien 1931 machte Hanna in Grunau/ Riesengebirge bei Wolfram („Wolf") Hirth (1900–1959) einen Segelkurs, den ihr der Vater versprochen hatte, wenn sie bis zum Abitur nicht mehr vom Fliegen reden würde. Dort lernte sie Anfang der 1930-er Jahre auch den jungen Wernher von Braun (1912–1977) kennen, der später Raketenkonstrukteur wurde und mit dem sie ihr ganzes Leben lang befreundet war.

Ab 1932 studierte Hanna Reitsch Medizin in Berlin und Kiel, weil sie fliegende Ärztin in Afrika werden wollte. Nebenher erwarb sie 1932 die Flugzeugführerscheine für den Segelflug in Grunau/Riesengebirge und für den Motorflug in Berlin-Staaken. Im selben Jahr gelang ihr in Grunau der erste Dauer-Segelflugrekord für Frauen, der fünfeinhalb Stunden dauerte.

1933 unterbrach Hanna Reitsch ihr Studium und begleitete den Segelflugpionier Wolf Hirth als Fluglehrerin an die neue Segelfliegerschule auf dem Hornberg bei Schwäbisch Gmünd. Als erste Frau der Welt erwarb Hanna Reitsch im Mai 1934 das Leistungsabzeichen im Segelflug. 1934 nahm sie an einer dreimonatigen Segelflug-Forschungsexpedition in Südamerika teil, die nach Brasilien und Argentinien führte. Das hierfür erforderliche Reisegeld von 3.000 Reichsmark verdiente sie, indem sie in dem UFA-Film „Rivalen der Luft" (1934) die Segelflugszenen doubelte. In jenem Jahr verschrieb sie sich ganz der Fliegerei und beendete nach vier Semestern Medizin ihr Studium.

Im Juni 1934 trat Hanna Reitsch als erste deutsche Forschungs- und Testpilotin in die „Deutsche Forschungsanstalt für Segelflug" in Darmstadt ein, der sie bis 1945 als Zivilangestellte angehörte. Anfangs führte sie zusammen mit dem Segelflieger Heini Dittmar (1911–1960) meteorologische Flüge über dem Rhein-Main-Gebiet durch. Später arbeitete sie für das „Institut für Segelflug" innerhalb der Forschungsanstalt als Einfliegerin und Testpilotin.

Im Sommer 1934 beteiligte sich Hanna Reitsch zusammen mit anderen Segelfliegern an einer dreiwöchigen Forschungsreise nach Finnland, zu der die Regierung dieses Landes eingeladen hatte. Bei dieser Expedition wurde der Beweis erbracht, dass in Finnland der Segelflug möglich ist. 1935 verbrachte Hanna einige Sommerwochen in Finnland und half dortigen Fliegerkameraden bei der Entwicklung und Anlage neuer Flugplätze. 1936 glückte ihr der Strecken-Segelflugweltrekord für Frauen über 305 Kilometer.

Der Oberbefehlshaber der „Deutschen Luftwaffe", Hermann Göring (1893–1946), ernannte am 17. Mai 1937 die 25-jährige Hanna Reitsch ehrenhalber als erste Frau der Welt zum „Flugkapitän". Am 28. Oktober 1937 verlieh man auch Melitta Schenk Gräfin von Stauffenberg (1903–1945), geborene

Schiller, den Titel „Flugkapitän", der sonst Flugzeugführern der „Deutschen Lufthansa" vorbehalten war.

General Ernst Udet (1896–1941) berief Hanna Reitsch im September 1937 als Versuchspilotin an die „Flugerprobungsschule der Luftwaffe" nach Rechlin am Müritzsee (Mecklenburg), wo sie „Stukas" (Sturzkampfflugzeuge), Bomber und Jagdflugzeuge testete. Für männliche Piloten war dies eine ungeheure Provokation.

Zwischen 1937 und 1939 stellte Hanna Reitsch neben ihrer eigentlichen Arbeit und verschiedenen Reisen einen Weltrekord nach dem anderen auf. 1937 schaffte sie mit einem Flug von der Wasserkuppe in der Rhön bis nach Hamburg den Strecken-Weltrekord. Als erste Pilotin der Welt überquerte sie im Mai 1937 mit dem Segelflugzeug „Sperber Junior" im Segelflug die Alpen. Zudem flog sie 1937 in Bremen als erste Frau den von Professor Heinrich Focke (1890–1979) konstruierten Hubschrauber „Focke Wulf 61".

1938 stellte Hanna Reitsch mit einem Segelflugzeug einen Weltrekord im Zielflug auf, als sie von Darmstadt zur Wasserkuppe in der Rhön und zurück nach Darmstadt segelte. Im selben Jahr siegte Hanna beim „Deutschen Segelflug-Strecken-Wettbewerb" von der Nordseeinsel Sylt nach Breslau (Schlesien), bei dem sie die einzige weibliche Teilnehmerin war. In der riesigen „Deutschlandhalle" wagte Hanna Reitsch im Frühjahr 1938 während der „Internationalen Automobilausstellung" in Berlin mit dem Hubschrauber den ersten Hallenflug der Welt. Für den amerikanischen Flugpionier Charles A. Lindbergh (1902–1974) war dies das größte technisch-fliegerische Ereignis seines Lebens.

Im Februar 1939 beteiligte sich Hanna Reitsch an einer deutschen Expedition zur Messung der Aufwindverhältnisse in Nordafrika. Im Juli 1939 stellte sie auf der Strecke von Magdeburg nach Stettin den Frauen-Segelflugweltrekord im Zielflug auf.

Nach Ausbruch des Zweiten Weltkrieges am 1. September 1939 wurde die Sportfliegerei unmöglich. Hanna Reitsch flog 1939 den Großsegler „DFS 230" ein, der für Luftlandetruppen der Wehrmacht bestimmt war. Außerdem führte sie mit der „DO 17" und mit der „HE 111" etwa 150 Ballonseilkappversuche durch. Dabei ging es darum, Stahlseile von Ballonsperren mit einem vor dem Bug angebrachten Gerät zu zerschneiden. Bei diesen Versuchen erkrankte sie schwer an Scharlach, lag drei Monate lang im Krankenhaus und befürchtete, dass ihre Augen Schaden genommen haben könnten und sie nicht mehr fliegen könne. Doch diese Sorge war unbegründet.

Im Oktober 1942 flog Hanna Reitsch in Augsburg bei Messerschmitt das erste Raketenflugzeug der Welt, die „ME 163 A", und später die „ME 163 B". Diese von dem Flugzeugkonstrukteur Aleander Lippisch (1894–1976) entwickelte Maschine erreichte bereits Sekunden nach dem Start eine Geschwindigkeit von 400 Stundenkilometern und bei einem Steigwinkel von 60 bis 70 Grad in anderthalb Minuten etwa 10.000 Meter Höhe. Bei ihrem fünften Versuch mit dem Raketenflugzeug löste sich dessen Fahrwerk nicht. Hanna wollte keinesfalls mit dem Fallschirm abspringen und die teure Maschine einem ungewissen Schicksal überlassen. Bei ihrem Landeversuch sackte die „ME 163" in etwa 80 Meter Höhe durch. und krachte auf einen Acker. Hanna öffnete das Kabinendach und meinte zunächst, sie sei unverletzt geblieben. Doch dann bemerkte sie, dass Ströme von Blut an ihr herabliefen, tastete ihren Kopf ab und fühlte dort, wo sich sonst die Nase befand, einen breiten Spalt. In einem Regensburger Krankenhaus stellten Ärzte einen vierfachen Schädelbasisbruch, zwei Gesichtsschädelbrüche, eine Gehirnquetschung und eine gespaltene Nase fest. Außerdem war der Oberkiefer total verschoben. Wie durch ein Wunder überstand sie die sofortige Operation und die Nacht darauf. Im Regensburger Krankenhaus verlangte Hanna immer wieder nach ihrer Freundin Dr. Adelheid von Berg, die als Chirurgin am Robert-Koch-Krankenhaus in Berlin arbeitete. Von ihr wollte sie wissen, wie es um sie stand und ob sie nach ihrer Genesung wieder fliegen könne. Als die Ärztin bei der Autofahrt nach Regensburg tödlich verunglückte und Hanna davon erfuhr, fiel sie in tiefe Bewusstlosigkeit und niemand glaubte mehr an ihre Heilung. Sie musste fünf Monate im Krankenhaus verbringen und konnte dieses erst im März 1943 verlassen.

Erst kehrte Hanna Reitsch zu ihren Eltern nach Hirschberg zurück, dann erholte sie sich in einem einsam gelegenen Landhaus. Um sich wieder an das Fliegen zu gewöhnen und ihr Gleichgewichtsgefühl zurück zu gewinnen, kletterte sie auf das spitze Giebeldach des Hauses, setzte sich auf den First, umklammerte den Schornstein und ließ ihren Blick langsam über die Dachziegel bis zum Boden und zurück schweifen und wiederholte dies immer wieder. Außerdem kletterte sie auf Bäume und unternahm immer längere Spaziergänge im Riesengebirge. Auf dem Flugplatz Breslau-Schöngarten gewöhnte sie sich wieder an das Fliegen. Zuerst mit reinem Segelflug, später mit Kunstflugfiguren. Ihr Zustand wurde täglich etwas besser. Eines Tages stellten Ärzte ihre völlige Heilung fest und befanden sie wieder flugtauglich.

Ab August 1943 erprobte Hanna Reitsch zusammen mit dem Piloten Heinz Kensche (gestorben 1945) die zur bemannten Rakete umgebaute „V1". Ab dem Winter 1943/1944 setzte sie sich für die Entwicklung so genannter Selbstopfer-Flugzeuge ein. Dieses Projekt sah bemannte Bomben vor, bei denen – ähnlich wie beim japanischen „Kamikaze" – der Tod des Piloten in Kauf genommen wurde. Bei der deutschen Luftwaffenführung stieß dieses Projekt, das Hanna Reitsch am 28. Februar 1944 dem nationalsozialistischen Diktator Adolf Hitler (1889–1945) vorschlug, auf starken Widerstand und wurde nicht verwirklicht.

Als Testpilotin war Hanna Reitsch furchtloser und tollkühner als viele ihrer männlichen Kollegen. Für ihre Leistungen als Testpilotin, bei denen sie einige schwere Verletzungen erlitt, erhielt sie während des Zweiten Weltkrieges hohe Auszeichnungen. Man verlieh ihr das „Eiserne Kreuz II" („EK II") und das „EK I" – Letzteres nahm sie als erste und einzige Frau der deutschen Geschichte entgegen – sowie das „Goldene Militärfliegerabzeichen mit Diamanten".

Hanna Reitsch war eine begeisterte Anhängerin von Adolf Hitler, aber – laut Online-Lexikon „Wikipedia" – keine „klassische Nationalsozialistin". Sie gehörte keiner NS-Organisation an und lehnte die NS-Rassenpolitik ab. Als sie von Gerüchten über Vernichtungslager erfuhr, sprach sie – privat und politisch naiv – ausgerechnet den „Reichsführer SS", Heinrich Himmler (1900–1945), auf den Wahrheitsgehalt dieser Behauptungen an. Himmler war neben Hitler für Terrormaßnahmen wie Konzentrationslager („KZ") gegen die Gegner des Regimes und für die Vernichtung der Juden verantwortllich.

Am 26. April 1945 flog Hanna Reitsch mit einem „Fieseler Storch" zusammen mit Generaloberst Robert Ritter von Greim (1892–1945) in das von den Russen eingeschlossene Berlin. Auf dem Weg in die deutsche Hauptstadt wurde Greim von einem russischen Bomber an einem Bein getroffen. Der Grund für dieses gefährliche Unternehmen war, dass Adolf Hitler darauf bestanden hatte, Greims Ernennung zum Nachfolger von Hermann Göring als Oberbefehlshaber der Luftwaffe persönlich vorzunehmen.

In der Nacht bat der „Führer" in der Reichskanzlei Hanna Reitsch zu sich und erklärte, die große Sache, für die er gelebt und gekämpft habe, scheine nun verloren, sofern nicht die Armee von General Walther Wenck (1900–1982), die schon nahe sei, den Ring der Belagerer durchbreche und Entsatz schaffe. Er gab der Fliegerin eine Phiole mit Gift. Nur mit

Mühe kam Hanna Reitsch aus Berlin wieder heil heraus. Sie flog mit Feldmarschall von Greim nach Plön zu Admiral Karl Dönitz (1891–1980). Hitler beging am 30. April 1945 in Berlin Selbstmord.

Am 8. Mai 1945 landete Hanna Reitsch mit dem fieberkranken Feldmarschall von Greim in Zell am See (Österreich), wo beide von der Kapitulation Deutschlands erfuhren. Der Krieg war nun zu Ende. Hanna wollte ihre Eltern, die sich damals zusammen mit ihrer Tochter Heidi, deren drei Kindern und der Hausangestellten Anni in Salzburg aufhielten, informieren, dass sie noch lebt. Doch ihre Familie hatte den Freitod gewählt, weil der Vater einem falschen Gerücht geglaubt hatte, alle Flüchtlinge würden dorthin zurückgeschickt, wo sie herkamen – also nach Schlesien, wo russische Soldaten Gräueltaten begingen.

Hanna Reitsch geriet mit dem „Stab Kesselring" in Zell am See in Gefangenschaft. Von Mai 1945 bis November 1946 war sie amerikanische Kriegsgefangene in Deutschland. Im Dezember 1947 wurde sie als „Nichtbetroffene" entnazifiziert, da sie keiner NS-Organisation angehört hat.

1952 errang Hanna Reitsch als einzige teilnehmende Frau bei den Segelflug-Weltmeisterschaften in Spanien unter den besten 40 Fliegern der Welt den dritten Preis. Ab 1954 arbeitete sie als Forschungspilotin bei der „Deutschen Versuchsanstalt für Luftfahrt" („DVL") in Darmstadt.

1955 wurde Hanna Reitsch bei den nationalen deutschen Segelflugmeisterschaften deutscher Segelflugmeister. 1956 stellte sie im freien Streckenflug mit 370 Kilometern den deutschen Frauen-Segelflugrekord auf. 1957 gelang ihr mit 6.848 Metern der deutsche „Frauen-Höhensegelflugrekord" und gewann sie den „1. Diamanten" („Höhen-Diamanten") zur „Gold-C". 1958 konnte sie nicht an den Segelflug-Weltmeisterschaften in Polen teilnehmen, weil ihr das Visum für die Einreise verweigert wurde.

Auf Wunsch von Premierminister Jawaharlal („Pandit") Nehru (1889–1964) baute Hanna Reitsch 1959 in Indien eine Segelflugschule auf. Sie war persönlicher Gast von Nehru und ist mit ihm gesegelt. 1960 erflog sie im 300 Kilometer-Dreiecksflug den „2. Diamanten" zur „Gold-C". 1961 lud man sie in die USA ein, wo Präsident John F. Kennedy (1917–1963) sie im „Weißen Haus" empfing.

1962 errichtete Hanna Reitsch mit zwei Fliegerkameraden eine Segelflugschule in Ghana, die sie bis 1966 leitete. 1970 gelangen ihr ein neuer deutscher Frauen-Segelflugrekord, der Gewinn des „3. Diamanten" (500 Kilometer Strecke) zur „Gold-C" und der Sieg in der Damenklasse im „Deutschen Segelflug-Wettbewerb". Im September 1971 war sie bei den ersten „Hubschrauber-Weltmeisterschaften" Erste in der Damenklasse.

Im Mai 1972 stellte Hanna Reitsch im Geschwindigkeitsflug über die 300 Kilometer-Dreiecksstrecke einen deutschen Frauen-Segelflugrekord auf, 1977 einen weiteren deutschen Frauen-Segelflugrekord (Ziel–Rückkehr über 644 Kilometer) und 1978 den Frauen-Segelflug-Weltrekord. Im September 1972 ernannte die „Society of Experimental Test Pilots" in Kalifornien Hanna Reitsch zum Ehrenmitglied. Einen Monat später wurde sie in Arizona vom „International Order of Characters" zum „Pilot des Jahres 1971" gewählt.

Aus Verärgerung darüber, dass man ihr in der Bundesrepublik Deutschland – bei aller ihr zugestandenen Naivität – eine „Glorifizierung des NS-Regimes" vorwarf, gab Hanna Reitsch 1974 ihre deutsche Staatsangehörigkeit auf und wurde Österreicherin. 1975 verlieh man ihr die „Internationale Kette der „Windrose".

Von Hanna Reitsch stammen die Bücher „Fliegen – Mein Leben" (1951), „Ich flog für Kwame Nkrumah" (1968), „Das Unzerstörbare in meinem Leben" (1975) und „Höhen und Tiefen – 1945 bis zur Gegenwart" (1978). Bei Vorträgen sprach sie selten in der Ich-Form, sondern redete von „wir" und meinte damit die Flieger aller Nationen.

In ihren nach Kriegsende veröffentlichten Büchern findet man – laut Online-Lexikon „Wikipedia" – keine Ansätze zur kritischen Auseinandersetzung mit dem Nationalsozialismus. Zwar gehe sie auf ihre zahlreichen Begegnungen mit NS-Führern wie Hitler, Göring und Himmler ein, vermeide aber jede Wertung.

Als Hanna Reitsch 1978 gefragt wurde, wie lange sie noch fliegen wolle, antwortete sie „so lange ich lebe". Und dies tat sie auch. Am 24. August 1979 starb Hanna Reitsch nach kurzer Krankheit im Alter von 67 Jahren in Frankfurt am Main an akutem Herzversagen. Ihrem Wunsch entsprechend, hat man sie in aller Stille auf einem Friedhof in Salzburg an der Seite ihres Vaters und ihrer Mutter bestattet.

2003 wurde die deutsche Rekordfliegerin Hanna Reitsch von „Women in Aviation International" in ihre Liste der 100 wichtigsten Frauen in der Luftfahrt aufgenommen.

Melitta Schenk Gräfin von Stauffenberg

Deutsche Heldin
mit Gewissensbissen

Als beste deutsche Testpilotin, am vielseitigsten ausgebildete Fliegerin und als zweiter weiblicher Flugkapitän ihres Heimatlandes ging Melitta Schenk Gräfin von Stauffenberg (1903–1945), geborene Schiller, in die Geschichte der Luftfahrt ein. Sie unternahm mehr als 2.500 nervenaufreibende Sturzflüge mit Sturzkampfflugzeugen, um Zielgeräte zu verbessern. Kurz vor Ende des Zweiten Weltkrieges starb die mutige Frau den Fliegertod.

Melitta Klara Schiller kam am 9. Januar 1903 in Krotoschin (Provinz Posen) zur Welt. Der Vater Michael Schiller war Bauingenieur, Baurat und preußischer Beamter. Die jüdischen Großeltern väterlicherseits, Moses Hirsch und Chaija, geborene Serebrennyi, waren von Brody nach Odessa gekommen. Dort erfolgte die Namensänderung von Hirsch in Schiller und lernte Moses den Textilhandel. Um 1860 ließ sich Moses in Leipzig nieder, wo er das „Commissions-, Export- & Speditions-Geschäft M. Schiller" führte. Die evangelische Mutter Margarethe Schiller, geborene Eberstein, war die Tochter eines Schulrats aus Bromberg. Melitta wuchs zusammen mit ihren vier Geschwistern Marie–Luise (1899–1987), Otto (1901–1970), Jutta (1907–1982) und Klara (1908–1996) auf.

Melitta Schiller besuchte ab 1909 die städtische Höhere Mädchenschule in Krotoschin. Im Ersten Weltkrieg (1914–1918) diente ihr 53-jähriger Vater als Landsturmhauptmann beim Landsturm im Bereich Krotoschin und Umgebung. Die Mutter und die älteste Tochter leisteten Sanitätsdienst. Melitta und die jüngeren Geschwister wurden zur Großmutter nach Schlesien gebracht. Während des Ersten Weltkrieges imponierte Melitta ihr Onkel Ernst Eberstein, der Flieger war, besonders. Ab Ostern 1917 ging sie auf das Mädchengymnasium der königlichen Luisenstiftung in Posen. Nach dem verlorenen Krieg fiel die Provinz Posen an Polen.

1919 wechselte Melitta Schiller auf das Mädchengymnasium in Hirschberg (Schlesien), wo sie 1922 ihr Abitur ablegte. Bereits während der Schulzeit interessierte sie sich für die Fliegerei und nutzte in Hirschberg die Gelegenheit zum Segelflug. Nach dem Abitur studierte „Litta" von 1922 bis 1927 Mathematik, Physik und Flugmechanik an der „Technischen Hochschule München".

1923 fragte Melitta bei der kurz zuvor gegründeten „Akademischen Fliegergruppe" an, ob sie eintreten und Pilotin werden dürfe. Geheimrat Hans Georg Grimm (1887–1958), der Leiter dieser Fliegergruppe, wollte Melitta von ihrem Wunsch abbringen und erklärte ihr, dass sie als Pilotin im Falle eines Krieges einrücken müsse. Melitta ließ sich davon nicht abschrecken und war dazu bereit, ihre Zusage, ins Feld zu gehen, schriftlich zu bestätigen. Doch der Geheimrat blieb beim Nein.

Der Vater von Melitta ließ sich 1925 vorzeitig pensionieren und zog von Krotoschin nach Oliva (Danzig) um. Weil er nur die Ausbildung der jüngeren Kinder finanzieren konnte, musste Melitta das Geld für ihr Studium durch Privatunterricht und Kurse für Kommilitonen verdienen. 1927 bekam sie ihr Diplom mit Auszeichnung, arbeitete kurz bei der „Schiffsbau-Versuchsanstalt Hamburg" und erhielt anschließend eine Stelle als Diplom-Ingenieur bei der „Deutschen Versuchsanstalt für Luftfahrt" („DVL") in Berlin-Adlershof.

Neun Jahre lang befasste sich Melitta Schiller bei der „DVL" vor allem mit der Flugmechanik und mit den Verstellluftschrauben, wobei sie theoretische und experimentelle Untersuchungen vornahm. Neben ihrer wissenschaftlichen Arbeit ließ sie sich ab 1929 systematisch zur Flugzeugführerin ausbilden und konnte zuletzt selbst die für ihre wissenschaftlichen Arbeiten nötigen Erprobungsflüge durchführen.

Während ihrer Zeit bei der „DVL" lernte Melitta Schiller über ihren Ingenieurskollegen Paul Freiherr von Handel (1901–1981) den Althistoriker Professor Dr. Alexander Schenk Graf von Stauffenberg (1905–1964) kennen. Am 11. August 1937 haben beide in Berlin-Wilmersdorf geheiratet. Den Wunsch nach Kindern stellte das Paar zunächst zurück.

Auf eigenen Wunsch und mit Zeugnis schied Melitta Schiller 1936 aus der „DVL", die faktisch dem Luftfahrtministerium unterstand, aus. Danach wechselte sie zu den „Askania-Werken" in Berlin-Friedenau, wo sie zunächst für die zweimotorigen Dornier-Flugboote „DO 18" und später für die viermotorigen „Blohm & Voß BV 139" der „Deutschen Lufthansa" eine gut funktionierende automatische Kurssteuerung entwickelte. Außerdem hatte sie Anteil an der Entwicklung der so genannten „Askania-3-Achsensteuerung", die anstrengende Langstreckenflüge merklich erleichterte.

Als einzige Frau in Deutschland besaß Melitta 1937 alle Flugzeugführerscheine für sämtliche Klassen von Motorflugzeugen und den Kunstflugschein. Außerdem hatte sie alle Scheine für den Segelflug und Segelkunstflug erworben und erfolgreich an zwei Blindfluglehrgängen der „Deutschen Lufthansa" teilgenommen. Sie war die vielseitigst ausgebildete Flugzeugführerin Deutschlands.

Am 28. Oktober 1937 hat man Melitta Schenk Gräfin von Stauffenberg als zweite Frau in Deutschland ehrenhalber zum

Flugkapitän ernannt. Einige Monate vor ihr war Hanna Reitsch (1912–1979) am 17. Mai 1937 als erste Frau der Welt weiblicher Flugkapitän geworden.

Zu Beginn des Zweiten Weltkrieges (1939–1945) wollte Melitta ihr Können in den Dienst des „Deutschen Roten Kreuzes" („DRK") stellen. Doch stattdessen wurde sie im Oktober 1939 von den „Askania-Werken" in Berlin-Friedenau zur Erprobungsstelle der Luftwaffe in Rechlin am Müritzsee (Mecklenburg) dienstverpflichtet. Ihre Aufgabe in der Erprobungsabteilung „E7" war die Zielgeräteerprobung vor allem der Sturzflugvisiere für den Sturzkampfbomber („Stuka") „Junkers Ju 87" und später auch für die „Ju 88".

Um die Verbesserungen der Zielgeräte zu kontrollieren, nahm Melitta mehr als 2.500 Sturzflüge von etwa 4.000 auf 1.000 Meter Flughöhe vor. An manchen Tagen absolvierte sie mehr als 15 dieser physisch sehr belastenden Sturzflüge und wertete sie aus. Eine solche Leistung ist von niemand auch nur annähernd erreicht worden.

Weil ihre Arbeit als „kriegswichtig" eingestuft wurde, gab man 1941 dem Antrag von Melitta auf „Gleichstellung mit arischen Personen" statt. Dies ersparte ihr und ihrer Familie die Deportation ins Konzentrationslager („KZ") und vermutlich auch die Ermordung.

Ab Frühjahr 1942 arbeitete Melitta bei der „Technischen Akademie der Luftwaffe" in Berlin-Gatow im nervenaufreibenden Erprobungsdienst. Bei dieser Arbeit setzte sie wiederholt ihr Leben aufs Spiel, weil immer öfter alliierte Flugzeuge in die Erprobungslufträume eindrangen und sie abgeschossen werden konnte.

Für ihre große Tapferkeit wurde Melitta am 22. Januar 1943 mit dem „Eisernen Kreuz II. Klasse" ausgezeichnet. Wenig später erhielt sie das „Goldene Flugzeugführerabzeichen mit Brillanten und Rubinen". In ihrer knappen Freizeit verfasste sie zwei wissenschaftliche Arbeiten für ihre Promotion und

Habilitation. Ihre bei der „Technischen Hochschule Berlin" eingereichte Promotionsarbeit wurde 1943 von ihrem Doktorvater Professor Dr. Walter Kucharski (1889–1958) günstig beurteilt.

Am 1. Mai 1944 wurde Melitta in den Vorstand der neugegründeten „Versuchsstelle für Flugsondergeräte" in Berlin-Gatow berufen und mit der technisch-wissenschaftlichen Leitung betraut. Damit die „Deutsche Luftwaffe" auch nachts einmotorige Tagjäger gegen alliierte Luftwaffen einsetzen konnte, vollendete sie das von ihr entwickelte Nachtlandeverfahren für die einmotorige Nachtjagd in höchster Perfektion. Im Januar 1944 schlug man Melitta für die Verleihung des „Eisernen Kreuzes I. Klasse" vor.

In die Pläne ihres Schwagers Claus Schenk Graf von Stauffenberg (1907–1944) für ein Attentat auf den nationalsozialistischen Diktator Adolf Hitler (1889–1945) war Melitta neueren Erkenntnissen zufolge eingeweiht. Nach dem misslungenen Attentat vom 20. Juli 1944 und dem gescheiterten Putschversuch brachen schwere Zeiten für die Familie Stauffenberg an. Die Brüder Claus und Berthold Schenk Graf von Stauffenberg (1905–1944) sowie deren Onkel Nikolaus Graf von Üxküll-Gyllenband (1877–1944) wurden hingerichtet. Außer den Frauen und Kindern der Widerstandskämpfer kamen viele Mitglieder der weitverzweigten Sippe der Schenken von Stauffenberg in „Sippenhaft". Darunter waren auch Alexander Schenk von Stauffenberg und dessen Gattin Melitta. „Sippenhaft" bedeutete in diesen Fällen meistens eine Einweisung in ein „Konzentrationslager".

Wegen ihrer „kriegswichtigen Aufgaben" entließ man Melitta nach sechs Wochen am 2. September 1944 aus der „Sippenhaft". Bald darauf nahm sie ihre Entwicklungstätigkeiten wieder auf. In der Folgezeit durfte sie nur noch als „Gräfin Schenk" ohne den Zusatz „von Stauffenberg" arbeiten. Ihren Ehemann Alexander und ihre Schwägerinnen hielt man bis

Kriegsende in verschiedenen „Konzentrationslagern", darunter Buchenwald, und Gefängnissen fest. Melitta nutzte ihre Position, um ihren inhaftierten Verwandten zu helfen, so gut wie konnte. Sie erreichte sogar, dass sie ihren Ehemann einmal im Monat besuchen durfte.

Melitta Schenk Gräfin von Stauffenberg litt unter einem ungeheuren Gewissenskonflikt. Einerseits war sie wegen ihrer jüdischen Abstammung und Verwandtschaft mit ihrem Schwager Claus Schenk Graf von Stauffenberg, der das missglückte Attentat auf Hitler verübt hatte, keine Anhängerin der Nationalsozialisten. Andererseits tat sie alles, um die kämpfenden Verbände zu unterstützen.

Zur geplanten Verleihung des „Eisernen Kreuzes I. Klasse" an Melitta kam es nicht mehr. Ihre Dienststelle wurde vom gefährdeten Berlin-Gatow nach Süddeutschland verlegt. Am 8. April 1945 flog Melitta mit einer unbewaffneten „Bücker Bü 181" in Richtung Bayerischer Wald, um dort ihren Mann zu besuchen, der auf dem Weg vom „KZ" Buchenwald zum „KZ" Dachau in einer Schule in Schönberg (Landkreis Freyung-Grafenau) untergebracht worden war. Dabei wurde sie von einem amerikanischen Jagdflugzeug etwa zwei Kilometer östlich von Straßkirchen (Landkreis Straubing-Bogen) in Niederbayern von hinten abgeschossen. Sie konnte zwar mit ihrer Maschine noch notlanden, erlag aber zwei Stunden später im Alter von 42 Jahren ihren folgenschweren Verletzungen.

Melitta Schenk Gräfin von Stauffenberg wurde am 13. April 1945 zunächst auf dem städtischen Friedhof in Straubing bestattet. Auf Wunsch ihres Ehemannes Alexander, der als einziger der drei Stauffenberg-Brüder die Nazi-Zeit überlebte, überführte man sie nach Lautlingen und bettete sie dort am 8. September 1945 in der Familiengruft der Familie Stauffenberg zur letzten Ruhe. Die Eltern von Melitta gelten seit 1945 als verschollen. Der Witwer Alexander Schenk Graf von

Stauffenberg (1905–1964) heiratete 1949 wieder. Seine zweite Ehefrau hieß Marlene Hoffmann (1913–2001) und brachte zwei Töchter namens Gudula und Amalberga mit in die Ehe. Alexander erlag am 27. Januar 1964 im Alter von 58 Jahren in München einem Bronchialkarzinom.

Valentina Tereschkowa

Die erste Frau
im Kosmos

Mit der Superlative, die „erste Frau im Weltall" gewesen zu sein, ging die russische Kosmonautin Walentina Tereschkowa in die Geschichte der Raumfahrt ein. Im Juni 1963 folgte sie an Bord von „Wostok 6" dem zwei Tage vorher gestarteten Raumschiff „Wostok 5" und umkreiste zusammen mit diesem 49 Mal die Erde. Nach diesem erfolgreichen Manöver machte sie beruflich und politisch Karriere.

Walentina Wladimirowna Tereschkowa (Valentina Tereschkova nach anderer Schreibweise) kam am 6. März 1937 in Maslennikowo bei Jaroslawl an der Wolga zur Welt. Sie war die Tochter eines Traktoristen, der im Zweiten Weltkrieg gefallen ist. Nach entbehrungsreicher Kindheit und Schulbesuch arbeitete sie in einer Autoreifenfabrik in Jaroslawl. Im Alter von 17 Jahren wechselte sie in das Spinnereikombinat „Der Rote Perakop" von Jaroslawl, in dem auch ihre Mutter tätig war. Dort verbrachte sie sieben Jahre als Zuschneiderin und Büglerin.

Neben ihrer Arbeit besuchte die fleißige Textilarbeiterin und Jungkommunistin eine Abendschule. 1960 erhielt sie am Textil-Technikum in Jaroslawl ein Diplom als Spinnerei-Technikerin. Von 1960 bis 1962 war sie Sekretärin des

93

„Kommunistischen Jugendbundes" („Komsomol") im Spinnereikombinat.

Ab 1955 übte Walentina Tereschkowa während ihrer Freizeit in einem Aeroclub Fallschirmsprünge. Als der sowjetische Kosmonaut Juri Gagarin (1934–1968) im April 1961 seinen ersten erfolgreichen Raumflug unternahm, träumte sie davon, es ihm nachzutun. Eifrig las sie sämtliche Literatur über Kosmonautik und bewarb sich so lange, bis sie eine Prüfung ablegen und 1962 eine Ausbildung an der Kosmonautenschule beginnen durfte.

Die Idee, weibliche Kosmonauten auszubilden, wurde bereits kurz nach dem historischen Flug von Juri Gagarin geboren. Dieses Projekt war aber bei den sowjetischen Raumfahrtbehörden und beim Militär umstritten. Weil es nur wenige weibliche Piloten in der UdSSR gab, wurde die Suche nach geeigneten Kandidatinnen auf Fallschirmspringerinnen ausgedehnt.

Am 16. Februar 1962 wählte man aus 58 Kandidatinnen fünf Russinnen aus, welche die zweite Kosmonautengruppe der UdSSR bildeten. Nämlich Sanna Dmitrijeva Jerkina, Tatjana Dmitrjewna Kusnetsowa, Walentina Leonidowna Ponomarjowa, Irina Bajanovna Solowjowa und Walentina Tereschkowa.

Nach dem Doppelflug der Raumschiffe „Wostok 3" und „Wostok 4" im August 1962 ließ sich noch nicht absehen, wieviele weitere Wostok-Flüge noch stattfinden und welche davon mit weiblichen Kosmonauten besetzt würden. Im Frühjahr 1963 kristallisierte sich heraus, dass keine neuen Wostok-Raumschiffe hergestellt würden. Die zwei verbleibenden einsitzigen Raumschiffe sollten für einen Doppelflug mit einem Mann und einer Frau verwendet werden.

Allmählich wurde der Kreis der Kosmonauten-Kandidatinnen immer kleiner. Tatjana Kusnetsowa hatte bereits im November 1962 die theoretische Prüfung zur Kosmonautin nicht bestanden. Sanna Jerkina schied im Mai 1963 aus gesundheitlichen Gründen aus. Walentina Tereschkowa wurde am 4. Juni 1963 als Besatzungsmitglied für „Wostok 6" bestätigt. Walentina Ponomarjowa und Irina Solowjowa galten als Reserve.

Am 16. Juni 1963 folgte Walentina Tereschkowa mit dem Raumschiff „Wostok 6" ihrem zwei Tage vorher mit „Wostok 5" gestarteten Kosmonauten-Kollegen Oberstleutnant Waleri Bykowsky zum Gruppenflug ins Weltall. Sie startete vom Kosmodrom in Baikonur (Kasachstan) und erreichte nach wenigen Minuten die Erdumlaufbahn. Nun war sie die erste Frau im All!

Bei der ersten Erdumkreisung näherten sich „Wostok 6" und „Wostok 5" – wie geplant – bis auf etwa 5 Kilometer. Das Rendezvous der beiden Raumschiffe erfolgte nicht durch aktive Steuerung, sondern aufgrund präziser Berechnungen vor dem Start.

Am ersten Tag konnte Walentina Tereschkowa noch direkten Funkkontakt mit Bykowsky halten, doch dann entfernten sich die beiden Raumschiffe zunehmend voneinander. Ab dem zweiten Flugtag war die Verbindung nur noch über Relaisstationen auf der Erde möglich.

Walentina Tereschkowa machte an Bord von „Wostok 6" Foto- und Filmaufnahmen von der Erde. Ein biologisches Experiment blieb unvollendet, weil sie die Ausrüstung nicht erreichen konnte.

„Die Zündung der Bremsraketen erfolgte planmäßig, ebenso das Abwerfen der Orbitalsektion", heißt es im Online-Lexikon „Wikipedia". Die Flugleitung erhielt diese Informationen allerdings nur über Telemetrie, weil Walentina Tereschkowa sich nicht über Funk meldete.

Der erste Raumflug einer Frau endete nach einer Flugzeit von 2 Tagen 22 Stunden 50 Minuten, in der 1,971 Millionen Kilometer zurückgelegt wurden und 49 Erdumkreisungen erfolgten, am 19. Juni 1963 mit der Landung bei Karaganda in Kasachstan. Wie bei Wostok-Flügen üblich, katapultierte sich Walentina Tereschkowa mit einem Schleudersitz aus der Landekapsel und landete am Fallschirm. Drei Stunden später ging Bykowsky nicht weit davon entfernt nieder.

Es folgten ein triumphaler Empfang in Moskau, Schlagzeilen der Weltpresse, Glückwünsche aus aller Welt und eine Briefmarke mit den Porträts beider Kosmonauten. Im Juni 1963 wurde Walentina Tereschkowa zum „Flieger-Kosmonaut der UdSSR" ernannt.

Der erste Flug einer weiblichen Raumfahrerin bescherte der UdSSR einen weltweiten Prestigegewinn. Intern dagegen hat die Leistung von Walentina Tereschkowa vielleicht doch nicht ganz überzeugt. Weitere Flüge mit weiblicher Besatzung waren zwar im Gespräch, wurden aber offenbar nur halbherzig geplant. Erst 1982 flog mit Swetlana Sawizkaja wieder eine Frau ins All.

Im November 1963 heiratete Walentina Tereschkowa den Kosmonauten Adrijan Nikolajew, der im August 1962 mit „Wostock 3", gefolgt am nächsten Tag von Oberstleutnant Popow mit Wostock „4", zum ersten sowjetischen Gruppenflug im Weltraum gestartet war. Aus dieser Ehe stammt die 1964 geborene Tochter Aljenka. Später ehelichte sie Julij Schaposchnikow, den Direktor am „Zentralinstitut für Traumatologie" in Moskau, Militärarzt und General, der immer ein wenig im Schatten seiner berühmten Frau stand.

Im Juni 1969 schloss Walentina Tereschkowa ein Studium an der Tschukowski-Ingenieurakademie der sowjetischen Luftwaffe in Moskau erfolgreich ab. Seit 1970 hat sie den Rang eines Oberst-Ingenieurs. Im Mai 1966 wurde sie Mitglied des „Obersten Sowjet" der UdSSR, im Mai 1968 Vorsitzende des „Frauenkomitees" der UdSSR, 1971 Mitglied des Zentralkomitees („ZK") der „Kommunistischen Partei der Sowjetunion" („KPdSU"), 1974 Mitglied des Präsidiums des „Obersten Sowjet", 1976 stellvertretende Vorsitzende der

„Kommission für Erziehung, Wissenschaft und Kultur" des „Union-Sowjet" des „Obersten Sowjet" der UdSSR.

Die Kosmonautin ist mehrfach ausgezeichnet worden. Sie erhielt zwei Lenin-Orden, die Medaille „Goldener Stern", die Joliot-Curie-Medaille in Gold, die Ehrenbürgerschaft mehrerer Städte und den Ehrentitel „Held der Sowjetunion". Ihr zu Ehren benannte man ein Tal auf dem Mond als Tereschkowa. „Women in Aviation International" nahm sie in ihre Liste der 100 wichtigsten Frauen in der Luft- und Raumfahrt auf.

Sabine Trube

Die deutsche
Düsenjet-Kommandantin

Als eine der ersten deutschen Kommandantinnen eines großen Düsenverkehrsflugzeugs sorgte Anfang 1994 die damals 38-jährige Pilotin Sabine Trube in den Medien für großes Aufsehen. Ab diesem Zeitpunkt flog sie zweistrahlige Mittel- und Langstrecken-Jets der Typen „Boeing-B 757" und „Boeing-B 767" der Chartergesellschaft „LTU". Die „B 757" wiegt mit 196 Passagieren vollbesetzt beim Start 108 Tonnen und die „B 767" rund 187 Tonnen.

Sabine Trube wurde am 28. November 1955 als sechstes von sieben Kindern des Juristen Günter Trube und der Ärztin Elisabeth Trube-Becker in der nordrhein-westfälischen Landeshauptstadt Düsseldorf geboren. Schon als Mädchen träumte sie davon, den Beruf einer Pilotin zu ergreifen. Im „Theodor-Schwann-Gymnasium" Neuss waren Physik und Biologie ihre Lieblingsfächer.

Nach dem Abitur begann Sabine Trube ein Medizinstudium, gab dieses aber nach dem sechsten Semester auf. Der Vater hatte sie bei ihrem Wunsch, Berufsfliegerin zu werden, immer unterstützt. 1981 erwarb Sabine im Alter von 26 Jahren bei der Flugschule „RWL German Flight Academy" in Mönchengladbach innerhalb eines Vierteljahres den Privatpilotenschein

(„PPL"). Danach wollte sie mehr: das Fliegen zu ihrem Beruf machen.

1982 begann Sabine Trube die kostspielige Ausbildung für den Berufspilotenschein („CPL"). Das hierfür nötige Geld verdiente sie durch Nachtdienste im Krankenhaus auf Unfallstationen. Außerdem nahm sie einen Kredit auf. Im November 1982 erwarb sie den „ATPL"-Flugschein, der es ihr erlaubte, alle Maschinen zu fliegen, die es damals in der gewerblichen Zivilluftfahrt gab. Sie war stolz darauf, ihn erfolgreich beendet zu haben.

Doch mit der vom Luftfahrtbundesamt in Braunschweig erteilten Pilotenlizenz Nr. 2869 war Sabine Trube noch nicht am Ziel ihres lang gehegten Berufswunsches. Wegen der schlechten Lage auf dem Arbeitsmarkt für Piloten fand sie zwei Jahre lang keine Stelle, ehe sie der Flugunternehmer Theodor Wüllenkemper aus Essen-Mülheim 1985 für seine Bedarfsfluggesellschaft „Westdeutsche Luftwerbung Flugdienst" („WDL") als Kopilotin für eine „Fokker 27" engagierte. Sabine Trubes erster Flug mit der zweimotorigen Turboprop-Maschine, die über 55 Plätze verfügte, ging nach Wien.

Nachdem sie genügend Flugerfahrung gesammelt hatte, um auf größere Jets umzuschulen, wechselte Sabine Trube am 1. November 1986 zur Düsseldorfer Charterfluggesellschaft „LTU", Zweigniederlassung München. Diese Gesellschaft scheute sich nicht, die 30-Jährige für ihre neue Flotte des Typs „Boeing" einzustellen. Damals wurde sie die erste Kopilotin in Deutschland auf Großraumjets.

Sabine Trube wurde bei „British Airways" und im Simulator des Herstellerwerks auf die Cockpit-gleichen zweistrahligen „B 757" und „B 767" umgeschult.

Die Krönung ihrer fliegerischen Laufbahn erlebte Sabine Trube am 30. Oktober 1993, als sie nach erfolgreicher Umschulung den begehrten vierten Ärmelstreifen eines Flugkapitäns erhielt.

Damit hatte sich letztlich ihre Ausbildung, von der ihr viele Anfang der 1980-er Jahre abrieten und für die sie einiges investiert hatte, doch gelohnt.

Im Januar 1994 war die 38-jährige Sabine Trube in Deutschland eine der ersten Frauen, die als Kommandant eines großen Düsenverkehrsflugzeuges im Cockpit Platz nahm. Wenige Wochen später – im Februar 1994 – erklärte die 1,70 Meter große Flugzeugführerin bei einem Interview mit der „Deutschen Presse-Agentur" (dpa), sie könne inzwischen auf 7.000 Flugstunden zurückblicken, davon allein 5.500 in Düsenmaschinen. Jährlich komme sie auf rund 800 Flugstunden, die harte Arbeit seien, ihr aber Freude bereiteten. Der Titel von Sabine Trube ist „Flugkapitän" und nicht „Flugkapitänin". „Wir sagen doch auch nicht Frau Doktorin", betonte sie. Ganz besonders freute sie sich, wenn manchmal Passagiere bei langen Flügen nach Südostasien oder Amerika das Cockpit besuchten und überrascht waren, dort eine Frau auf dem Kapitänssitz anzutreffen. In ihrer Freizeit ist sie eine leidenschaftliche Autofahrerin, kocht gerne, schwimmt, fährt Rad und läuft Ski.

Vor Sabine Trube gab es in Deutschland bereits Dutzende von Berufspilotinnen. Zum Flugkapitän ehrenhalber hatten es vor dem Zweiten Weltkrieg jeweils 1937 schon Hanna Reitsch (1912–1979) und Melitta Schenk Gräfin von Stauffenberg (1903–1945) gebracht. Nach dem Zweiten Weltkrieg waren 1976 Rita Maiburg (1951–1977) bei der „DLT", 1987 Barbara Moerl-Weidig bei der „DLT", außerdem Claudia Russ bei der „Lufthansa CityLine" sowie 1991 Madlene Clausen und 1992 Beatrice Wagner-Zimmermann, beide bei der „Condor", Flugkapitän.

Anders als in Deutschland gelten in den USA Pilotinnen in verantwortlichen Rollen und Funktionen schon seit vielen Jahren als Selbstverständlichkeit. Dort gab es früh sogar komplette Frauen-Crews. Der amerikanische Flugzeughersteller „Boeing" rekrutierte 1991 mit der ehemaligen Helikopter- und Air-Force-Pilotin und Ingenieurin Susan Darcy sowie der Luft- und Raumfahrt-Ingenieurin Rose Loper zwei Frauen für sein elitäres Testpiloten-Team.

Weitere „Königinnen der Lüfte"

Florence „Pancho" Barnes
geborene Florence Leontine Lowe
erste amerikanische Stuntpilotin
in dem Film „Hells Angels" 1929
geboren am 29. Juli 1901
in San Mario (Kalifornien)
gestorben am 25. März 1975
in Boron (Kalifornien)

Melli Beese-Boutard
geborene Hedwig Amelie Beese
legte im September 1911
als erste Frau in Deutschland
die Pilotenprüfung ab
geboren am 13. September 1886
in Laubegast bei Dresden
gestorben am 22. Dezember 1925
in Berlin

Hélène Boucher
französische Pilotin
Geschwindigkeitsrekord über
100 Kilometer 1934
geboren am 23. Mai 1908
gestorben am 30. November 1934
bei Versailles

Bessie Coleman
erste afrikanisch-amerikanische
Pilotin
geboren am 26. Januar 1893
in Atlanta (Texas)
gestorben am 30. April 1926
in Jackson (Florida)

Eileen Collins
amerikanische Astronautin
erste amerikanische
Raumfähren-Pilotin 1995
geboren am 19. November 1956
in Elmirea (New York)

Hélène Dutrieu
erste belgische Pilotin
geboren am 10. Juli 1877
in Tournai (Belgien)
gestorben am 27. Juni 1961
in Paris

Marga von Etzdorf
deutsche Pilotin
flog 1931 in zwölf Tagen
von Berlin über Moskau nach Tokio
geboren am 1. August 1907
in Berlin
Selbstmord am 28. Mai 1933
in Aleppo (Syrien),
wo sie beim Flug
nach Australien verunglückt war

Mae Jemison
erste
afrikanisch-amerikanische
Astronautin 1992
geboren am 17. Oktober 1956
in Decatur (Alabama)

Amy Johnson-Mollison
britische Pilotin
flog 1920 als erste Frau
von England nach Südamerika
geboren am 1. Juli 1903
in Hull (New York)
gestorben beim Absturz
im Januar 1941 in der Themse

Raymonde de La Roche
erste Pilotin der Welt
am 8. März 1910
geboren am 22. August 1884
in Paris
tödlich verunglückt
am 18. Juli 1919 in Paris

Anne Morrow Lindbergh
erste Segelfliegerin der USA 1931
geboren am 22. Juni 1906
in Englewood (New Jersey)
gestorben am 7. Februar 2001
in Vermont

Prinzessin Anne Löwenstein-Wertheim
britische Fliegerin
geboren am 25. Mai 1864
in Methley Park bei Leeds
Ende August 1927 beim Flug
über den Ozean verschollen

Shannon Lucid
amerikanische Astronautin
längster Weltraumflug vom
22. März bis 26. September 1996
geboren am 14. Januar 1942
in Shanghai (China)

Beryl Markham
geborene Clutterbuck
britische Pilotin
erste Berufspilotin Afrikas 1930
flog 1936 als Erste allein
von London über den Atlantik
geboren am 26. Oktober 1902
in Leicester (England)
gestorben am 3. August 1986
in Nairobi (Kenia)

Geraldine „Jerrie" Mock
amerikanische Pilotin
umflog 1964 mit ihrer Cessna
als erste Frau erfolgreich die Welt
geboren am 22. November 1925
in Newark (Ohio)

Käthe Paulus
erste deutsche Berufsluftschifferin,
erste deutsche Fallschirmspringerin
um 1890
Erfinderin des zusammenlegbaren
Fallschirms
geboren am 22. Dezember 1868
in Zellhausen bei Offenbach
gestorben am 16. Juli 1935
in Berlin

Thérèse Peltier
Bildhauerin und erste
französische Flugzeugpassagierin
unternahm während
eines Aufenthaltes in Turin
am 21. März 1908
mit Léon Delagrange an Bord des
Doppeldeckers „Voisin No. 2"
den ersten Flug mit Passagier
geboren 1873
gestorben 1926

Harriet Quimby
erste amerikanische Pilotin
überflog 1911
als Erste
den Ärmelkanal
geboren am 11. Mai 1875
bei Coldwater (Michigan)
gestorben am 1. Juli 1912
bei Boston

Barbara Allen Rainey
erste Pilotin der U. S. Military 1974
geboren am 20. August 1948
in Betheseda
gestorben am 13. Juli 1982
bei Evergreen (Alabama)

Thea Rasche
deutsche Pilotin und Journalistin
geboren am 12. August 1899
in Essen
gestorben am 25. Februar 1971
in Essen

Wilhelmine Reichard
deutsche Ballonfahrerin
geboren am 2. April 1788
in Braunschweig
gestorben am 22. Februar 1848
in Dresden

Sally Kristen Ride
amerikanische Astronautin
erste amerikanische Frau
im Weltraum 1983
geboren am 26. Mai 1951
in Encino bei Los Angeles
(Kalifornien)

Marjorie Stinson
amerikanische Pilotin
erste Luftpostpilotin 1918
geboren 1896 in Alabama
gestorben am 15. April 1975
in Washington, DC

Kathryn Sullivan
amerikanische Astronautin
unternahm 1984
als erste Amerikanerin
einen Spaziergang
im Weltall
geboren am 3. Oktober 1951
in New Jersey

Kathy Thornton
amerikanische Astronautin
unternahm 1992
den längsten
Spaziergang im Weltall
geboren am 17. August 1952
in Montgomery
(Alabama)

Daten und Fakten

4. Juni 1784: Die französische Opernsängerin Elisabeth Thible, nach anderer Schreibweise auch Tible, fliegt in Lyon als erste Frau in einem Heißluftballon (Montgolfière) mit.

10. November 1798: Die Französin Jeanne Labrosse (1775–1845), die Ehefrau des Luftakrobaten André-Jacques Garnerin (1769–1823), unternimmt als erste Frau selbstständig einen Flug in einem Ballon.

12. Oktober 1799: Jeanne Labrosse wagt als erste Frau der Welt aus einer Höhe von rund 900 Metern einen Fallschirmsprung.

7. Juli 1819: Die erste professionelle Luftschifferin Frankreichs, Madeleine Sophie Blanchard (1778–1819), kommt in Paris bei einer Ballonfahrt als erste Frau beim Fliegen ums Leben.

Um 1850: Die französische Fallschirmspringerin Rosalie Poitevin (1819–1908) stellt in Parma (Italien) mit einem Sprung aus rund 2.000 Metern einen Frauenrekord auf, der erst 1931 von der Deutschen Lola Schröter (1906–1953) überboten wird.

4. Juli 1880: Mary Hawley Myers (1849–1932) unternimmt in Little Falls (New York) als erste Amerikanerin einen Alleinflug mit einem Ballon.

19. Juli 1893: Käthe Paulus (1868–1935) unternimmt in Nürnberg (Bayern) zusammen mit ihrem Verlobten Hermann Lattemann (1852–1894) ihren ersten Ballonflug. Sie gilt als erste Luftschifferin in Deutschland.

1893: Die Luftschifferin Käthe Paulus wird in Elberfeld bei Wuppertal die erste deutsche Fallschirmspringerin.

9. Juli 1903: Die Amerikanerin Aida de Acosta (1884–1962) unternimmt in Paris als erste Frau einen Alleinflug in einem lenkbaren Luftschiff.

1906: Die Amerikanerin E. Lillian Todd (1865–1937) entwirft und baut als erste Frau ein Flugzeug, das allerdings nie fliegt.

8. Juli 1908: Die französische Bildhauerin Therésè Peltier (1873–1926) unternimmt in Turin (Italien) an Bord eines Doppeldeckers zusammen mit dem französischen Piloten Léon Delagrange (1873–1910) den ersten Flug mit einem weiblichem Passagier.

7. Oktober 1908: Edith Berg fliegt als erste Amerikanerin in Le Mans (Frankreich) in einem Flugzeug mit. Sie ist eine Passagierin des amerikanischen Luftpioniers Wilbur Wright (1867–1912) und die Ehefrau von Hart O. Berg, des europäischen Agenten von Wright.

26. Oktober 1909: Die Französin Marie Marvingt (1875–1963) fliegt als erste Frau mit einem Ballon von Frankreich nach England.

8. März 1910: Die französische Schauspielerin Raymonde de Laroche (1844–1919) wird die erste Pilotin der Welt.

9. April 1910: Hélène Dutrieu (1877–1961) wird die erste Pilotin in Belgien.

19. April 1910: Hélène Dutrieu fliegt als erste Frau der Welt einen Passagier.

Sommer 1910: Hilda Hewlett (1864–1943) wird Mitbegründerin der ersten Flugschule in England.

2. September 1910 (oder 6. September oder Mitte Oktober): Blanche Stuart Scott (1889–1970) wird angeblich die erste amerikanische Pilotin. Ihr Flug wird von der „Aeronautical Society of America" nicht anerkannt, weil er zufällig erfolgt.

16. September 1910: Bessica Medlar Raiche (1875–1932) wird angeblich die erste amerikanische Pilotin.

8. November 1910: Marie Marvingt wird die dritte Frau mit Pilotenlizenz in Frankreich.

1. August 1911: Harriet Quimby (1875–1912) wird die erste Amerikanerin mit Pilotenlizenz.

10. August 1911 (4. September 1911) : Lidija Swerewa (1890–1916) wird die erste Pilotin in Russland.

17. August 1911: Matilde Moissant (1878–1964) wird die zweite Amerikanerin mit Pilotenlizenz.

29. August 1911: Hilda Hewlett wird erste Britin mit Pilotenlizenz.

4. September 1911: Harriet Quimby unternimmt als erste Frau einen Nachtflug.

13. September 1911: Melli Beese-Boutard (1886–1925) legt als erste Deutsche die Pilotenprüfung ab.

10. Oktober 1911: Beatrix de Rijk (1883–1958) wird eine der ersten Pilotinnen in Holland.

Dezember 1911: Die Amerikanerinnen Harriet Quimby und Matilde Moisant (1878–1964) unternehmen als erste Pilotinnen einen Flug über Mexiko.

16. April 1912: Harriet Quimby überfliegt als erster weiblicher Pilot den Ärmelkanal (Englischer Kanal).

Juli 1912: Lilly Steinschneider (1891–1975) wird die erste Pilotin in Österreich-Ungarn.

2. September 1912: Die Französin Jeanne Pallier (1871–1939) fliegt bei ihrer Pilotenprüfung als erste Frau über Paris.

1912: Die Pilotin Ruth Law (1887–1970) fliegt als zweite Amerikanerin bei Nacht.

21. November 1912: Die russische Pilotin Ljuba Galanschikoff (1884–1968) stellt einen Höhenweltrekord für Frauen auf. Sie erreicht mit einem geliehenen Fokker-Eindecker eine Höhe von 2.000 Metern.

5. Januar 1913: Rosina Ferrario (1888–1959) wird die erste Pilotin in Italien, die vor dem Ersten Weltkrieg eine Fluglizenz erhält,

31. Juli 1913: Die amerikanische Pilotin Alys McKey („Tiny") Bryant (1880–1954) unternimmt in Vancouver den ersten Flug einer Frau in Kanada. Ihre Flüge in Kanada waren Teil des Unterhaltungsprogramms für den Prinzen von Wales und den Herzog von York, die Vancouver und Victoria besuchen.

20. August 1913: Ljuba Galanschikoff unternimmt zusammen mit dem Piloten Léon Letort (1888–1913) den ersten Flug innerhalb eines Tages von Berlin nach Paris.

September 1913: Katherine Stinson (1891–1977) betätigt sich in Montana als erste Luftpostpilotin der USA.

1913: Hélène Dutrieu wird erstes weibliches Mitglied der „Pariser Luftwache" und schützt die französische Hauptstadt im Ersten Weltkrieg (1914–1918) vor Angriffen deutscher Flugzeuge und Militärluftschiffe.

19. Mai 1914: Die russische Pilotin Lydija Swerewa (1890–1916) fliegt in Riga (Litauen) als erste Frau einen Looping (Kunstflugfigur in senkrechter Kreisbahn).

6. Juni 1914: Else Haugk (1889–1973) wird die erste Pilotin der Schweiz.

1914: Prinzessin Eugenie Michailowna Shakhovskaya (1889–1920) wird die erste russische Militärpilotin. Sie unternimmt als Fähnrich im Dienste des Zaren etliche Aufklärungsflüge.

1915: Marjorie Stinson (1896–1975 und Katherine Stinson (1891–1977) betreiben mit ihrer Mutter Emma Beaver Stinson in Texas die erste von Frauen geleitete Flugschule.

17. Januar 1915: Ruth Law (1887–1970 wagt in Daytona Beach (Florida) als erste amerikanische Pilotin einen Looping. Katherine Stinson glückt dieses Kunststück am 18. Juli 1915 über dem Flugplatz „Cicero Field" in Chicago.

1915: Nahdeshda Degtera, deren Geburts- und Todesdatum unbekannt sind, ist die erste russische Pilotin, die bei einem Kampfeinsatz im Ersten Weltkrieg verwundet wird.

1916: Die Deutsche Käthe Paulus (1868–1935) erfindet den zusammen-legbaren Fallschirm.

12. Juli 1919: Raymonde de Laroche stellt einen Höhenrekord für Frauen auf (4.800 Meter).

1919: Ruth Law befördert als erster Flieger Luftpost zu den Philippinen.

30. Mai 1920: Elsa Andersson (1897–1922) wird die erste schwedische Pilotin.

15. August 1920: Die amerikanische Pilotin Laura Bromwell (1899–1920) fliegt 87 Loopings und schafft damit einen Weltrekord.

1. April 1921: Die französische Pilotin Adrienne Bolland (1896–1975) fliegt als erste Frau über die Anden.

Mai 1921: Laura Bromwell fliegt 199 Loopings und stellt damit einen neuen Weltrekord auf.

15. Juni 1921: Die schwarze Amerikanerin Bessie Coleman (1893–1926) erhält in Frankreich ihre Fluglizenz und wird die erste afro-amerikanische Pilotin.

2. Oktober 1921: Elsa Andersson ist nach einem Absprung in Kristianstad die erste schwedische Fallschirmspringerin.

8. April 1922: Teresa de Marzo (1903–1986) wird die erste Pilotin in Brasilien.

1922: Tadashi Hyodo (1899–1980) wird die erste Pilotin in Japan.

3. September 1922: Bessie Coleman unternimmt den ersten öffentlichen Flug einer afro-amerikanischen Pilotin in den

USA. Dabei springt der farbige Stuntman Hubert Fauntleroy Julian mit einem Fallschirm ab.

Oktober 1922: Lillian Gatlin aus Santa Ana (Kalifornien) wird die erste Passagierin bei einem Flug über Amerika. Sie reist von San Francisco (Kalifornien) nach Mineola (New York). Der 2.680 Meilen-Nonstop-Flug dauert 27 Stunden 11 Minuten.

1925: Thea Rasche (1899–1971) wird erste Deutsche mit Kunstflugschein.

1925: Kwon Ki-ok (1901–1988) wird die erste Pilotin aus Korea.

1925: Lady Mary Heath (1896–1939) erhält als erste Frau in Großbritannien eine kommerzielle Fluglizenz.

28. März 1927: Millicent Maude Bryant (1878–1927) wird die erste Pilotin in Australien.

Mai 1927: Lady Mary Heath stellt mit 17.000 Fuß (umgerechnet 5.100 Meter) einen Höhen-Weltrekord für Leichtflugzeuge auf.

September 1927: Elinor Smith wird im Alter von 16 Jahren die damals jüngste Pilotin der USA.

1927: Phoebe Fairgrave Omlie (1902–1975) wird die erste von der „Civil Aeronautics Administration" („CAA") zugelassene Flugzeugmechanikerin der USA.

1927: Lady Mary Heath unternimmt als erste Frau einen Alleinflug von Südafrika nach England.

1927: Die irische Pilotin Mary Bayley (1890–1960) fliegt als erste Frau über die Irische See.

Oktober 1927: Die Amerikanerin Ruth Elder (1902–1977) scheitert beim Versuch einer Atlantiküberquerung von England nach Amerika.

Ende August 1927: Prinzessin Anne Löwenstein-Wertheim (1864–1927) scheitert beim Versuch einer Atlantiküberquerung von England nach Amerika und kommt ums Leben.

Januar 1928: Ruth Rowland Nichols (1901–1960) unternimmt zusammen mit dem Piloten Harry Rogers den ersten Nonstop-Flug von New York nach Miami (Florida).

17. und 18. Juni 1928: Die amerikanische Fliegerin Amelia Earhart (1897–1937) fliegt zusammen mit dem Piloten Wilmer Stultz (1899–1929) und dem Mechaniker Louis Gordon von New York nach Paris. Sie ist die erste Frau, die an Bord eines Flugzeuges den Atlantik überquert.

27. Juli 1928. Lady Mary Heath fliegt als erste Frau der Welt ein Passagierflugzeug. Der Start erfolgt in Amsterdam (Niederlande), die Landung in Croydon (Großbritannien).

1928: Maryse Bastié (1898–1952) erwirbt als erste Französin den Führerschein für Passagierflugzeuge.

1928: Die deutsche Pilotin Marga von Etzdorf (1907–1933) wird erste Kopilotin der „Deutschen Luft Hansa".

1928: Die irische Pilotin Mary Heath fliegt als erste Frau allein vom „Kap der Guten Hoffnung" (Südafrika) nach Kairo (Ägypten).

1928: Die amerikanische Pilotin Phoebe Fairgrave Omlie fliegt als erste Frau mit einem Leichtflugzeug über die Rocky Mountains.

Oktober 1928: Die deutsche Pilotin Erika Naumann stellt zusammen mit dem schweizerischen Fliegerhauptmann Wirth bei einem Flug von Böblingen (Süddeutschland) nach Wilna (Litauen) einen Weltrekord auf. Die Flugstrecke beträgt 1.305 Kilometer.

17. Dezember 1928: Die amerikanische Pilotin Marjorie Stinson wird bei der Gründungsversammlung der „Early Birds" in Chicago das erste weibliche Mitglied. Bedingung für die Aufnahme bei den „Early Birds" ist für Amerikaner, dass sie bereits vor dem Eintritt der USA in den Ersten Weltkrieg am 17. Dezember 1916 erstmals allein geflogen sind. Für Piloten aus Europa gilt der 4. August 1914 als Stichtag für die Aufnahme bei den „Early Birds".

1928/1929: Mary Bailey (1890–1960) fliegt als erste Frau allein von England nach Südafrika und wieder zurück. Hinflug vom 9. März bis 30. April 1928, Rückflug vom September 1928 bis 16. Januar 1929.

2. Januar 1929: Evelyn („Bobby") Trout unternimmt in Los Angeles (Kalifornien) als erste Frau einen Ganze-Nacht-Flug, der 12 Stunden 11 Minuten dauert.

1929: Florence „Pancho" Barnes" (1901–1975) wird die erste amerikanische Stuntpilotin. Sie wirkt in dem Film „Hells Angels" mit, der 1929 in die Kinos kommt.

1929: Phoebe Fairgrave Omlie wird die erste amerikanische Transportpilotin.

1929: Ilse Esser (1898–1994) promoviert als erste Deutsche in Luftfahrttechnik.

August 1929: Die britische Reporterin Grace Marguerite Hay Drummond-Hay (1895–1946) fliegt als erste Frau mit einem Luftschiff um die Welt. Der Flug erfolgt im deutschen Luftschiff „LZ-127 Zeppelin".

18. bis 26. August 1929: Die amerikanische Pilotin Louise Thaden (1905–1979) gewinnt das erste „Cleveland Women's Air Derby", den ersten Überlandflug-Wettbewerb für Pilotinnen, der scherzhaft als „Powder-Puff-Derby" bezeichnet wird. Der Start erfolgt in Santa Monica (Kalifornien), Ziel ist Cleveland (Ohio), gesamte Flugstrecke mehr als 2.700 Meilen (rund 4.500 Kilometer). Zweite wird Gladys O'Donnel, Dritte Amelia Earhart. Beim legendären „Powder-Puff-Derby" gehen ingesamt 20 Pilotinnen an den Start, von denen 18 aus den USA stammen: Florence („Pancho") Barnes, Marvel Crosson, Amelia Earhart, Ruth Elder, Claire Fahy, Edith Foltz, Mary Haizlip, Jessie Keith-Miller (Australien), Opal Kunz, Ruth Nichols, Gladys O'Donnell, Phoebe Omlie, Neva Paris, Margaret Penny, Thea Rasche (Deutschland), Louise Thaden, Bobbi Trout, Mary von Mach und Vera Dawn Walker. Davon erreichen 13 Frauen das Ziel. Den scherzhaften Begriff „Powder-Puff-Derby" („Puderquastenrennen") hat der Komiker Will Rogers (1879–1935) geprägt. Er beruht auf dem Kosmetik-Utensil, mit dem sich die Pilotinnen nach den Landungen puderten.

2. November 1929: Amelia Earhart gründet zusammen mit vier anderen bekannten Pilotinnen auf dem Flugplatz „Curtiss Field" in Valley Stream, Long Island (New York), den „Club der Neunundneunzig" („Ninety Nines"), der die Stellung der Frauen in der Luftfahrt stärken soll. Einen solchen Club hatte

Clara Trenckman Studer, eine flugbegeisterte Assistentin und Helferin ohne Pilotenschein, angeregt. Die Einladung zur Gründungsversammlung war am 9. Oktober 1929 an 117 Pilotinnen in den USA verschickt und von Fay Gillis, Margorie Brown, Frances Harrel und Neva Paris unterzeichnet worden. Zur Gründungsversammlung kommen 26 Pilotinnen nach Valley Stream, nur vier davon mit dem Flugzeug, die anderen wegen schlechten Wetters mit dem Zug. Ein zweites Treffen erfolgt am 14. Dezember 1929 in New York City. Dabei macht Jean Davis Hoyt (gestorben 1988) den Vorschlag, den Club nach der Zahl der Frauen in den USA zu benennen, die einen Pilotenschein besitzen und Interesse an der Gründung des Clubs zeigen. Neva Paris soll die Wahl einer Präsidentin koordinieren, doch sie kommt Anfang 1930 bei einem Flugzeugabsturz ums Leben. Louise Thaden fungiert als „provisorische Präsidentin" des Clubs. Bald gehörten 99 Fliegerinnen zum Club und dessen Name steht fest. 1931 wird Amelia Earhart zur Präsidentin gewählt und bleibt dies bis 1933. „Ninety Nines" behauptet sich bis heute und zählt derzeit weltweit mehr als 20.000 Mitglieder.

November 1929: Die amerikanischen Pilotinnen Evelyn („Bobby") Trout (1906–2003) und Elinor Smith (geboren 1911) unternehmen den ersten Frauenflug mit Luftbetankung.

Dezember 1929: Amy Johnson (1903–1941) wird die erste Flugzeugmechanikerin in Großbritannien.

5. bis 24. Mai 1930: Die britische Pilotin Amy Johnson-Mollisson (1903–1941) fliegt als erste Frau allein von England nach Australien.

1930: Die britische Fliegerin Beryl Markham (1902–1986) wird die erste Berufspilotin Afrikas.

1930: Anne Morrow Lindbergh (1906–2001) wird die erste Segelfliegerin der USA.

6. März 1931: Ruth Rowland Nichols stellt mit 8.760,9 Metern einen Höhen-Weltrekord für Frauen auf.

13. April 1931: Ruth Rowland Nichols stellt mit 339,1 Stundenkilometern einen Geschwindigkeits-Weltrekord für Frauen auf.

1931: Leyla Mammadbeyova (1909–1989) wird die erste Pilotin in Aserbaidschan.

Juni 1931: Ruth Rowland Nichols scheitert beim Atlantik-überflug.

18. bis 29. August 1931: Die deutsche Pilotin Marga von Etzdorf (1907–1933) fliegt allein von Berlin nach Tokio.

1931: Pauline Mary Gower (1910–1947) betreibt den ersten Lufttaxidienst in Großbritannien.

1931: Die deutsche Pilotin Vera von Bissing (1906–2002) beherrscht als einzige Frau den Looping nach vorn.

1931: Die deutsche Fallschirmspringerin Lola Schröter (1906–1953) stellt mit einem Sprung aus 6.000 Metern Höhe einen Frauenrekord auf.

Oktober 1931: Hazel Ying Lee (1912–1944) erhält als eine der ersten chinesisch-amerikanischen Frauen eine Fluglizenz.

4. Dezember 1931: Die deutsche Fliegerin Elly Beinhorn (1907–2007) startet zu einem erfolgreichen Weltflug. Sie ist

die erste Frau, die alle fünf Erdteile mit dem Flugzeug überfliegt.

26. Dezember 1931: Die australische Pilotin Maude Rose „Lores" Bonney (1897–1994) unternimmt den längsten Ein-Tages-Flug einer Frau von Brisbane nach Wangaratta (1.600 Kilometer).

20. Mai 1932: Die amerikanische Fliegerin Amelia Earhart fliegt mit einem einmotorigen Flugzeug als erste Frau über den Atlantik. Sie startet in Harbor Grace (Neufundland) und landet unweit von Londonderry (Nordirland).

Mai 1932: Die deutsche Schauspielerin und Pilotin Antonie Strassmann (1901–1952) fliegt an Bord des Flugschiffes „Do-X" von den USA nach Deutschland. Sie ist die erste Europäerin, die als fliegender Passagier den Atlantik über-quert.

August/September 1932: Maude Rose „Lores" Bonney fliegt als erste Frau um Australien.

5. September 1932: Die amerikanische Pilotin Mary Haizlip (1910–1997) stellt in Cleveland (Ohio) mit 405,92 Stunden-kilometern einen Geschwindigkeitsrekord für Frauen auf.

1932: Die Chinesin Katherine Cheung (1904–2003) wird die erste Asiatin mit Pilotenlizenz in den USA.

1932: Ruthy Tu (gestorben 1969) wird die erste Pilotin in der Chinesischen Armee.

1932: Die deutsche Pilotin Rosl Richter und ihr Ehemann unternehmen mit einem Leichtflugzeug einen Weltflug.

1932: Der Fallschirmspringerin Lola Schröter gelingt ein Rekordsprung aus 7.300 Metern Höhe.

1932: Luise Hoffmann (1910–1935) wird erste Werkspilotin in Deutschland.

1932: Phoebe Fairgrave Omlie wird die erste Regierungs-beamtin für Luftfahrt in den USA.

1932: Fay Gillis Wells (1908–2002) fliegt als erste Amerikanerin ein sowjetisches Zivilflugzeug.

10. bis 21. April 1933: Maude Rose „Lores" Bonney fliegt mit einer Maschine des Typs „Gipsy Moth" namens „My little Ship" als erste Frau von Australien nach England (Start in Brisbane, Landung in London. Flugstrecke rund 20.000 Kilometer).

1933: Freda Thompson (1909–1980) wird die erste Flug-lehrerin in Australien.

1934: Die Französin Maryse Bastie (1898–1952) fliegt als erste Frau von Paris nach Tokio und zurück.

28. Januar bis 25. April 1934: Die Amerikanerin Laura Ingalls (1901–1967) unternimmt als erste Frau einen Alleinflug von Nordamerika nach Südamerika.

21. März 1934: Laura Ingalls fliegt als erste Amerikanerin über die Anden.

Mai 1934: Die Neuseeländerin Jean Batten (1909–1982) unter-nimmt als erste Frau einen Flug von England nach Australien und zurück.

28. September bis 6. November 1934: Die australische Pilotin Freda Thompson unternimmt den ersten Alleinflug einer Frau von England nach Australien. Während dieser 39 Tage langen Flugreise muss sie 20 Tage auf ein Ersatzteil warten.

23. Oktober 1934: Die amerikanische Ballonfahrerin Jeannette Piccard (1895–1981) fliegt als erste Frau in die Stratosphäre: Sie steigt zusammen mit ihrem Ehemann Jean-Felix Picard (1884–1963) über dem Erisee in eine Höhe von 17.550 Metern auf.

31. Dezember 1934: Die Amerikanerin Helen Richey (1909–1947) wird die erste Pilotin bei einer planmäßigen Airline („Central Airlines").

Anfang 1935: Der amerikanischen Fliegerin Amelia Earhart glückt der erste Flug von Hawaii zum amerikanischen Festland. Diese Route ist länger als die Strecke von den USA nach Europa.

April 1935: Liesel Zangenmeister stellt in Rossitten (Ostpreußen) mit 12 Stunden 57 Minuten einen Dauer-Weltrekord im Segelflug auf.

1935: Amelia Earhart unternimmt als Erste einen Alleinflug von Los Angeles (Kalifornien) nach Mexico City (Mexiko), Flugzeit 13 Stunden 23 Minuten.

1935: Amelia Earhart unternimmt als Erste einen Alleinflug von Mexico City nach Newark, Flugzeit 14 Stunden 19 Minuten.

Ende 1935: Jean Batten fliegt als erste Frau von England nach Südamerika (Brasilien), Flugstrecke rund 5.000 Meilen (umgerechnet 8.000 Kilometer), Flugzeit 61 Stunden 15 Minuten

1936: Katarina Matanovic-Kulenovic (1913–2003) wird die erste kroatische Pilotin.

4. September 1936: Louise Thaden (1905–1979) und Blanche Noyes (1900–1981) besiegen als erste Frauen bei einem Flugwettrennen („Bendix Trophy Race") männliche Piloten. Sie fliegen sie von New York City nach Los Angeles in 14 Stunden 55 Minuten und stellen damit einen Weltrekord auf.

4./5. September 1936: Die englische Pilotin Beryl Markham (1902–1986) fliegt als erste Frau allein von London (England) über den Atlantik nach Nova Scotia (Kanada).

1936: Jean Batten fliegt als erste Frau über den Südatlantik.

1936: Laura Ingalls fliegt als erste Frau nonstop von der Ostküste zur Westküste der USA.

März 1937: Jean Burns wird im Alter von 17 Jahren die jüngste Pilotin in Australien.

17. Mai 1937: Die deutsche Fliegerin Hanna Reitsch (1912–1979) wird als erste Frau der Welt ehrenhalber zum Flugkapitän ernannt. Dieser Titel war sonst Flugzeugführern der „Deutschen Lufthansa" vorbehalten.

Mai 1937: Hanna Reitsch überquert als erste Pilotin der Welt im Segelflug die Alpen.

Juni 1937: Die deutsche Pilotin Eva Schmidt (1914–1945) erreicht eine Weltbestleistung im Segelflug-Streckenflug für

Frauen vom Hornberg (Schwäbische Alb) nach Plauen im Vogtland (Sachsen) und einen Dauerflug-Rekord von 14 Stunden.

Juni 1937: Inge Wetzel stellt in Rossitten (Ostpreußen) mit 18 1/2 Stunden einen Segelflug-Weltrekord im Dauerflug auf, wird aber bereits im Juli 1937 von Feodora Schmidt übertroffen.

1937: Amelia Earhart fliegt – im Rahmen ihrer Erdumrundung – als Erste vom Roten Meer nach Indien.

2. Juli 1937: Amelia Earhart und ihr Navigator Fred Noonan (1893–1937) kehren von ihrer geplanten spektakulären Erdumrundung nicht mehr zurück. Um das ungeklärte Verschwinden der Beiden im Pazifik ranken sich zahlreiche Legenden.

4. Juli 1937: Hanna Reitsch fliegt in Bremen als erste Frau einen Hubschrauber.

1937: Maude Rose „Lores" Bonney fliegt als erste Frau allein von Australien (Brisbane) nach Südafrika (Kapstadt), Flugstrecke 29.088 Kilometer.

1937: Sabiha Gökcen (1913–2001) wird die erste Kampfpilotin der Türkei. Sie fliegt Kampfeinsätze in Thrakien und in der Ägäis.

1937: Die deutsche Fliegerin Melitta Gräfin Schenk von Stauffenberg (1903–1945), geborene Melitta Schiller, besitzt als einzige Frau Deutschlands alle Flugzeugführerscheine für sämtliche Klassen von Motorflugzeugen und Segelflugzeugen sowie den Kunstflugschein.

1937: Die Argentinierin Susanna Ferrari Billinghurst (1914–1999) erwirbt als erste Frau in Südamerika einen kommerziellen Pilotenschein.

1937: Die russischen Pilotinnen Marina Raskowa (1912–1943) und Walentina Stepanowna Grisodubowa (1910–1993) stellen mit einem Nonstop-Flug über 1.443 Kilometer einen Frauenweltrekord auf.

1937: Die amerikanische Fliegerin Jacqueline Cochran (1906–1980) macht als erste Frau einen Blindflug (Instrumentenlandung).

28. Oktober 1937: Melitta Schenk Gräfin von Stauffenberg erhält – nach Hanna Reitsch – als zweite Frau der Welt den Titel „Flugkapitän".

Frühjahr 1938: Hanna Reitsch, die erste Frau mit Helikopter-Lizenz, unternimmt in der riesigen Berliner Deutschlandhalle mit einem Hubschrauber den ersten Hallenflug der Welt.

2. Juli 1938: Den russischen Pilotinnen Walentina Stepanowna Grisodubowa (1910–1993), Wera Lomako (geboren 1913), Polina Ossipenko (1907–1939) und Marina Raskowa (1912–1943) gelingt ein Weltrekord-Fernflug für Frauen von Sewastopol nach Archangelsk über 2.416 Kilometer.

24./25. September 1938: Marina Raskowa, Walentina Stepanowna Grisodubowa und Polina Ossipenko stellen mit einem 5.908,610 Kilometer langen Fernflug von Moskau nach Kerbi unweit des Ochotskischen Meeres einen Weltrekord für Frauen auf. Am 2. November 1938 erhalten sie für diesen Weltrekord-Fernflug als erste Frauen der sowjetischen Geschichte den Titel „Held der Sowjetunion".

1939: Willa Brown Chappell (1906–1992) wird die erste Afro-amerikanerin mit kommerzieller Pilotenlizenz in den USA

1939/1940: Beate Köstlin (1919–2001), später Beate Uhse, wirkt als erste deutsche Stuntpilotin in den Filmen „D III 88" (1939) und „Achtung, Feind hört mit" (1940) mit.

1. Juli 1941: Die Amerikanerin Jacqueline Cochran überführt als erste Frau einen Bomber über den Atlantik.

Ab 1941: Marina Raskowa und sechs andere weibliche Offiziere organisieren drei nur aus Frauen bestehende sowjetische Fliegerregimenter. Am Ende der Ausbildung werden in Engels drei Regimenter aufgestellt: das 586. Jagdfliegerregiment mit „Jak-2", das 587. Tagbomberregiment mit „Pe-2"-Flugzeugen und das mit „U-2" ausgerüstete 588. Nachtbomberregiment („Nachthexen"). Kommandantinnen des 586. Jagdfliegerregiments sind: Lydia Litvak, Raisa Belyayeva, Tamara Pamyatnykh, Raya Surnachevskaya, Marina Kuznetsova. Als Kommandantinnen des 587. Tagbomberregiments fungieren Kladiya Fomicheva, Marina Raskowa, Nadeshda Fedutenko. Kommandantinnen des 588. Nachtbomberregiments sind Yevodokya Bershanskaya, Yevgeniya Zhigulenko, Tatyana Makorova, Yevdokia Nosal, Nina Ulynenko.

Oktober 1942: Hanna Reitsch fliegt in Augsburg bei „Messerschmitt" das erste Raketenflugzeug der Welt.

21. März 1943: Cornelia Clark Fort (1919–1943) stirbt bei der Überführung einer Maschine des Typs „BT-13A" als erste Pilotin im Dienst der US-Army, als sie über Merkel, Taylor County (Texas), mit einem anderen Flugzeug zustammen-

stößt. An sie erinnert der 1945 nach ihr benannte „Cornelia Fort Airport" in Nashville (Tennessee).

14. Okober 1944: Die Amerikanerin Ann G. Baumgartner Carl (1918–2008) ist die erste Frau in einem Turbojet-Kampf-flieger.

1948: Die amerikanische Pilotin Betty Skelton Frankman Erde (geboren 1926) wird die erste US-Meisterin in Luft-akrobatik.

1949: Betty Skelton Frankman Erde stellt mit 7.853 Metern einen Höhenweltrekord für Frauen auf.

16. September 1950: Nancy Bird Walton (1915–2009) gründet die australische Pilotinnenorganisation „Australian Women Pilot's Association" („AWPA")

März 1951: Die deutsche Pilotin Liesel Bach (1905–1992) fliegt als erste Frau über den Himalaja.

1951: Betty Skelton Frankman Erde stellt mit 8.850 Metern einen weiteren Höhenweltrekord für Frauen auf.

April 1953: Iris Wittig (1928–1978) fliegt zusammen mit einem sowjetischen Instrukteur als einer der ersten Piloten in einer „MiG-15UTI", dem ersten Strahlflugzeug der „DDR".

4. Juni 1953: Die amerikanische Pilotin Jacqueline Cochran erreicht mit einem Düsenjäger des Typs „F-86 Sabre" eine Durchschnittsgeschwindigkeit von 1.042 Stundenkilometern und durchbricht dabei in Sturzflügen aus 14.000 Meter Höhe als erste Frau zwei Mal die Schallmauer.

August 1953: Die französische Fliegerin Jacqueline Auriol (1917–2000) durchbricht mit einem Düsenjäger des Typs „Mystère" mit einer Geschwindkeit von 1.195 Stundenkilometern als erste Europäerin die Schallmauer (Mach1).

1960-er Jahre: Jerrie Cobb besteht als erste Amerikanerin alle drei Tests für das von Jacqueline Cochran finanzierte Programm „Mercury 13". Mit diesem privat finanzierten Programm, das nicht Teil der Astronautenrekrutierung der „NASA" ist, will man beim Wettrennen im Weltraum mit der ersten Frau im All der Sowjetunion zuvorkommen. Der Name des Projektes beruht darauf, dass von den insgesamt 20 getesteten Frauen 13 die Tests bestehen: außer Jerrie Cobb später auch Myrte Cagle, Jan Dietrich, Marion Dietrich, Wally Funk, Janey Hart, Jean Hixson, Gene Nora Stumbough, Irene Leverton, Bernice Steadman, Sarah Ratley, Jerri Truhill und Rhea Woltman. Jerry Cobb, Rhea Hurle und Wally Funk unterziehen sich in Oklahoma City noch weiteren Tests und einer psychologischen Bewertung. Wenige Tage, bevor einige Frauen sich erweiterten Tests in Pensacola (Florida) in der „Naval School of Aviation Medicine" mit Militärausrüstung und Jets unterziehen sollen, erhalten sie ein Telegramm, in dem der Abbruch des Projekts mitgeteilt wird. Die Navy ist nicht bereit, ihr Equipment für ein inoffizielles Projekt bereitzustellen. Im Mai 2007 verleiht die „University of Wisconsin-Oshkosh" den damals noch acht lebenden Frauen von „Mercury 13" Ehrendoktortitel für ihren „Pioniergeist und die Anstrengungen bei der Weiterentwicklung der Frauenrechte".

16. Juni 1963: Die russische Kosmonautin Walentina Tereschkowa startet in Baikonur (Kasachstan) an Bord des Raumschiffes „Wostock VI" als erste Frau ins Weltall. Sie umkreist

49 Mal die Erde, bevor sie am 19. Juni 1963 in Novosivbirsk landet.

26. August 1963: Diana Barnato Walker (1918–2008) durchbricht als erste Britin die Schallmauer.

19. März bis 17. April 1964: Geraldine „Jerry" Mock fliegt als erste Amerikanerin erfolgreich um die Welt. Vor ihr hatte dies 1931 schon die deutsche Fliegerin Elly Beinhorn getan. Weil der Weltflug von Elly Beinhorn in den USA nicht allgemein bekannt ist, wird Geraldine „Jerry" Mock dort oft irrtümlich als Frau erwähnt, die als Erste um die Welt geflogen sein soll.

Juni 1966: Berta Zeron (1924–2000) wird die erste Frau in Mexiko mit einem kommerziellen Pilotenschein.

1966: Die britische Pilotin Sheila Scott (1927–1988) fliegt 50.000 Kilometer in 189 Flugstunden.

1967: Ursula Bühler-Hedinger (1943–2009) wird die erste schweizerische Linienpilotin und Jetpilotin.

28. März 1967: Fiorenza de Bernardi wird die erste Airline-Pilotin in Italien (nach eigenen Angaben die fünfte der Welt) und im selben Jahr in ihrem Heimatland auch der erste weibliche Flugkapitän.

1969: Turi Wideroe wird der erste weibliche Luftverkehrspilot bei einer großen Fluggesellschaft in Norwegen – bei „Scandinavian Airlines Systems" („SAS").

28. Juni 1971: Die amerikanische Pilotin Louise Sacchi (1913–1997) stellt bei einem Flug von New York nach Lon-

don innerhalb von 17 Stunden 10 Minuten einen Geschwindigkeitsrekord auf.

1971: Sheila Scott fliegt bei einem Langstreckenflug über 50.000 Kilometer als erste Frau mit einem Leichtflugzeug über den Nordpol.

29. Januar 1973: Emily Howell Warner wird die erste Pilotin für eine kommerzielle Airline in den USA.

22. Februar 1974: Barbara Ann Rainey (1948–1982) wird die erste Pilotin der „United States Navy".

4. Juni 1974: Sally Murphy qualifiziert sich als erste Frau als Pilotin für die „United States Army".

1974: Die Italienerin Fiorenza di Bernardi wird die erste Gletscherpilotin der Welt.

1974: Die Amerikanerin Marry Barr wird die erste Pilotin in der Forstwirtschaft („United States Forest Service") der USA.

1974: Captain Leslie F. Kenne wird die erste Frau an der Testpilotenschule der US-Luftwaffe.

1974: Wally Funk wird die erste Inspektorin der Flugsicherung innerhalb der amerikanischen Verkehrsbehörde „National Transportation Safety Board" („NTSB") in Washington D.C. Die „NTSB" befasst sich mit der Aufklärung von Unglücksfällen im Transportwesen (Eisenbahnen, Luftfahrt, Schifffahrt, Pipelines und Autobahnen). Für die Luftfahrt entspricht der Aufgabenbereich der Bundesstelle für Flugunfalluntersuchung in Deutschland.

6. Juni 1976: Emily Howell Warner wird der erste weibliche Kapitän einer US-Airline.

Ende 1976: Die deutsche Pilotin Rita Maiburg (1951–1977) wird der erste und einzige weibliche Flugkapitän im regulären Liniendienst der westlichen Welt. Die Bulgarin Maria Atanasova kommandiert damals eine düsengetriebene Frachtmaschine, die Engländerin Yvonne Sintes ist Captain bei einer britischen Chartergesellschaft.

1976: Rosemary Bryant Mariner fliegt als erste Frau ein leichtes Kampfflugzeug.

1978: Rhea Seddon (geb. 1947), Kathryn Sullivan (geboren 1951), Judith A. Resnik (1949–1986), Sally Kristen Ride (geboren 1951), Anna Lee Fisher (geboren 1949) und Shannon Lucid (geboren 1942) werden als erste Frauen in das Astronautencorps der „NASA" aufgenommen.

11. April 1980: Eleanor Conn unternimmt mit ihrem Ehemann Sidney Conn die erste Ballonfahrt über den Nordpol.

2. Juli 1980: Die Amerikanerin Lynn Rippelmeyer fliegt als erste Frau einen Jumbo-Jet „Boeing 747".

3. Dezember 1980: Die Amerikanerin Janice Brown unternimmt in der Nähe von Marana (Arizona) mit einem kleinen Solarflugzeug namens „Solar Challenger" den ersten Langstrecken-Solarflug (Flugstrecke 6 Meilen, Flugzeit 22 Minuten).

1980: Deborah Jane Lawrie wird die erste Pilotin bei einer australischen Fluggesellschaft.

14. Februar 1981: Neta Snook (1896–1991) ist mit 85 Jahren die älteste Pilotin der USA.

11. März 1981: Die Amerikanerin Doris Grove stellt mit 1.127,68 Kilometern einen Segelflug-Weltrekord auf.

17. Dezember 1982: Die amerikanische Pilotin Mary Haizlip (1910–1997) wird als erste Frau in der Luft- und Raumfahrt in die „Oklahoma Aviation and Space Hall of Fame" aufgenommen.

18. Juni 1983: Die Astronautin Sally Kristen Ride fliegt als erste Amerikanerin im Weltall.

1983: Regula Eichenberger wird die erste Linienpilotin bei einer schweizerischen Airline („Crossair").

19. Juli 1984: Die amerikanische Pilotin Lynn Rippelmeyer fliegt als erster weiblicher Kapitän mit einer „Boeing 747" über den Atlantik. Der Start erfolgt in Newark, die Landung in London-Gatwick.

19. Juli 1984: Die amerikanische Pilotin Beverly Lynn Burns fliegt als erster weibliche Kapitän mit einer „Boeing 747" über die USA. Ihr historischer Flug mit einer Maschine der Fluggesellschaft „PEOPLExpress" führt von Newark nach Los Angeles.

25. Juli 1984: Die sowjetische Kosmonautin Swetlana Sawizkaja unternimmt als erste Frau einen Spaziergang im All.

11. Oktober 1984: Die Astronautin Kathryn Dwyer Sullivan unternimmt als erste Amerikanerin einen Spaziergang im Weltall.

14. Dezember 1986: Die amerikanische Astronautin Jeana Yeaeger startet zusammen mit Dick Rutan mit einem Voyager-Flugzeug zur ersten Nonstop-Weltraumumrundung ohne Auftanken und Zwischenlanden. Sie fliegen in 9 Tagen 3 Minuten 44 Sekunden eine Strecke von insgesamt 42.120 Kilometern.

1989: Gaby Kennard fliegt als erste Australierin mit einem Flugzeug des Typs „Piper Saratoga" namens „Gerty" in 99 Tagen allein um die Welt.

1990: Allana Arnot (georen. 1967) fliegt als erste Australierin mit einem Hubschrauber um die Welt.

1990: Rosemary Bryant Mariner wird die erste Kommandantin einer operativen Fliegerstaffel in den USA.

Winter 1990: Rosella Bjornsön wird der erste weibliche Kapitän für eine kommerzielle Fluggesellschaft in Kanada.

14. Mai 1992: Die amerikanische Astronautin Kathryn Thornton unternimmt den längsten Spaziergang im Weltall. Er dauert 7 Stunden 44 Minuten.

12. bis 20. September 1992: Carol Mae Jemison fliegt mit der Raumfähre „Endeauvour" als erste afro-amerikanische Astronautin im Weltall.

1. Oktober 1992: Die Amerikanerin Victoria („Vicki") van Meter (1982–2008) erregt als jüngste Fliegerin der Welt Aufsehen. Sie steuert als Zehnjährige erstmals ein Flugzeug,

25. März 1993: Die Britin Barbara Hamer ist die erste Frau, die – als Erster Offizier und Kopilotin – mit einem kom-

merziellen Überschallflugzeug fliegt. Dies geschieht bei einem Flug mit „British Airways" auf der „Concorde" von London nach New York City.

20. bis 23. September 1993: Vicki van Meter überfliegt im Alter von elf Jahren die USA – von Augusta (Maine) nach San Diego (Kalifornien).

1993: Sarah Deal wird erster weiblicher Pilot des „United States Marine Corps".

21. April 1994: Jackie Parker qualifiziert sich als erste Pilotin für das F-16-Kampfflugzeug.

4. bis 7. Juni 1994: Vicki van Meter überfliegt im Alter von zwölf Jahren den Atlantik.

12. Juli 1994: Die elfjährige Amerikanerin Katrina Mumaw wird das „schnellste Kind der Welt": Sie bricht zusammen mit einem russischen Piloten in einem „MiG-29"-Kampfjet die Schallmauer.

1994: Kara Hultgreen (1965–1994) wird die erste Kampf-pilotin der US-Marine in einer „F-14 Tomcat".

3. Oktober 1994 bis 22. März 1995: Die Russin Elena Kondakowa (Yelena Vladimirovna Kondakova), unternimmt den ersten Dauerflug einer Frau im Weltall.

3. bis 11. Februar 1995: Eileen Collins wird die erste amerikanische Raumfährenpilotin bzw. Shuttlepilotin.

1995: Martha McSally unternimmt bei der Operation „Southern Watch" als erste Pilotin der US-Luftwaffe (von Kuwait aus) Kontrollflüge in feindlichem Gebiet (Irak). Sie ist die erste Pilotin der „U.S. Air Force", die mit einem Militärflugzeug über Feindgebiet fliegt.

22. März bis 26. September 1996: Shannon Lucid wird mit einem 188 Tage langen Flug die Amerikanerin, die sich am längsten im Weltraum aufhält.

19. November 1997: Kalpana Chawla (1961–2003) unternimmt mit der amerikanischen Raumfähre „Columbia" als erste Inderin einen Flug im Weltall.

16. Dezember 1998: Kendra Williams, Leutnant bei der „United States Navy", bombardiert bei der Operation „Desert Fox" als erster weiblicher Kampfpilot der USA über dem Irak ein feindliches Ziel.

12. Januar 1999: Erstmals ist das Cockpit einer „Swissair"-Maschine ausschließlich mit Frauen besetzt: Kapitän Gabrielle Musy-Lüthi und Kopilotin Claudia Wehrli fliegen einen „Airbus A320" von Zürich-Kloten nach Paris.

23. bis 28. Juli 1999: Eileen Collins wird die erste Kommandantin einer amerikanischen Raumfähre („Space Shuttle").

Januar bis Mai 2001: Die Britin Polly Vacher unternimmt als erste Frau mit einem Kleinflugzeug („Piper PA-28 Cherokee Dakota G-FRGN") – über Australien – einen Flug um die Welt.

6. Mai 2003 bis 27. April 2004: Polly Vacher fliegt von Birmingham (Großbritannien) aus über den Nordpol, die Antarktis und alle Erdteile. Damit wird sie die erste Frau, die allein die Polarregionen überquert. Bei diesem Unternehmen

fliegt sie auch innerhalb von 16 Stunden von Hawaii nach Kalifornien.

Um 2005: Hanadi Zakaria al-Hindi wird der erste weibliche Flugkapitän in Saudi-Arabien.

13. März 2006: Die amerikanische Pilotin Elizabeth A. Okoreeh-Baah fliegt als erste Frau ein senkrecht startendes „V-22 Osprey Tiltrotor"-Flugzeug.

2006: Nicole Malachowski wird als erste Frau bei den „Thunderbirds", einer Kunstflugstaffel der Luftstreitkräfte der USA, aufgenommen.

18. bis 29. September 2006: Die amerikanisch-iranische Multimillionärin Anoushe Ansari wird der erste weibliche Weltraumtourist, der erste weibliche Muslim und die erste Iranerin im Weltraum. Sie startet am 18. September 2006 mit einem Sojus-Raumschiff zur „Internationalen Raumstation" („ISS"), erreicht am 20. September die „ISS" und kehrt am 29. September 2006 mit „Sojus TMA-8" zur Erde zurück.

Literatur

AHNER, Hans: Melli Beese, die erste deutsche Flugzeugführerin, Berlin 1986

AURIOL, Jacqueline: I Live to Fly, Paris o. J.

BACH, Liesel: Bordbuch D 2495, Berlin 1937

BACH, Liesel: Den alten Göttern zu. Eine deutsche Fliegerin in Indien, Köln 1954

BATTEN, Jean: Solo Flight, London 1934

BATTEN, Jean: My Life, London 1938

BEDFORD, John Duke of: The Flying Dutchess, London 1968

BEINHORN, Elly: Ein Mädchen fliegt um die Welt, Berlin 1932

BEINHORN, Elly: Ein Grünspecht wird ein Flieger. Der Werdegang eines Flugschülers, Leipzig 1935

BEINHORN, Elly: Ich fliege um die Welt, Berlin 1952

BEINHORN, Elly: Ein Mädchen und fünf Kontinente. Bericht einer Vierundzwanzigjährigen, Essen 1956

BEINHORN, Elly: ... so waren diese Flieger, Herford 1966

BEINHORN, Elly: Alleinflug. Mein Leben, München 1977

BEINHORN, Elly: Mein Mann, der Rennfahrer, München 1987

BEINHORN-ROSEMEYER, Elly: Berlin–Kapstadt–Berlin, Berlin 1939

BIRD, Nancy: Born to Fly, Sydney/London 1961

BIRD, Nancy: My God! It's a Woman! The Autobiography of Nancy Bird, London 1990

BONNET, Rudolph: Käthchen Paulus. Die Ballonfahrerin und Fallschirmspringerin. Aus: Mitteilungen des Vereins für Geschichte und Landeskunde zu Bad Homburg vor der Höhe, Nr. 29, Bad Homburg 1965

BRACKE, Gerhard: Melitta Gräfin Stauffenberg. Das Leben einer Fliegerin, München 1990

CARL, Ann Baumgartner: A Wasp Among Eagles: A Woman Military Test Pilot in World War II, Washington 1999

COCHRAN, Jacqueline: Mein Weg zu den Sternen. Die Lebensgeschichte einer Rekordfliegerin, Rüschlikon/Zürich 1954

COCHRAN, Jacqueline: Jackie Cochran: An Autobiography, New York 1987

CORTE, Angela: Höhenflüge. Elly Beinhorn wird 85. Emanzipation in der „fliegenden Kiste". Interpress. Internationaler biographischer Pressedienst, 5. Mai 1992, Hamburg

COTTAM, Kazimiera J.: Women in Air War. The Eastern Front of World War II, Nepean/Kanada 1997

DIXON, Charles: Amy Johnson – Lone Girl Flyer, London o. J.

EARHART, Amelia: 20 Hrs. 40 Min.: Our Flight in the Friendship, New York City 1928

EARHART, Amelia: The Fun of it, New York City 1932

EARHART, Amelia: Last Flight, New York City 1937

ESTIBAL, Sylvain: Verschollen in der Wüste. Bill Lancasters legendärer Afrika-Flug, München 2006

ETZDORF, Marga von: Kiek in die Welt. Als deutsche Fliegerin über drei Erdteile, Berlin 1931

FEMALE SOVIET PILOTS OF WW2
http://wio.ru/aces/gal-f.htm

FEMBIO Frauen.Biographienforschung www.fembio.org

GENEALOGY OF THE FLYING STINSONS
http://www.natchezbelle.org/oldtime/stinson.htm

GENTRY, Viola: Hangar Flying, private Publikation, o. J.

GERSTE, Ronald D.: Sie war alles in einem: Pionierin der Luftfahrt, Pazifistin, Frauenrechtlerin: Amelia Earhart. Als erste Frau überquerte sie 1932 – fünf Jahre nach Charles Lindberghs Triumph – mit ihrer roten Lockhead „Vega" den Atlantik. Vor 60 Jahren ist sie, eine der populärsten Frauen Amerikas, bei einem Flug über dem Pazifik verschollen. Ein

Mythos war geboren. Eine tollkühne Vagabundin der Lüfte. Fliegen als Waffe gegen die Diskriminierung der Frauen. Die Zeit, 25. Juli 1977, S. 68, Hamburg

GORE, John (Herausgeber): Mary Duches of Bedford. 1865–1937, 2 Bände, London 1938

GOWER, Pauline: A Harvest of Memories, the Life of Pauline Gower MBE, Peterborough 1995

GUTMAN, Dan: Taking Flight. My Story By Vicki van Meter, New York City 1995

HARGRAVE THE PIONEERS, Aviation and Aeromodelling – Interdependent Evolutions and Histories www.ctie.monash.edu.au

HEATH, Sophie / MURRAY, Stella Wolfe: Woman and Flying, London 1929

HEIDRICH, Katja: Und es lohnt sich doch!, Leipzig 1939

HELLMUTH, Wilhelm: In der Bundesrepublik fliegt der erste und einzige weibliche Linienflugkapitän der westlichen Welt. Das fliegende Geheimnis. Welt am Sonntag, 15. Mai 1977, Hamburg

HOLDEN, Henry M. / GRIFFITH, Lori: Ladybirds II. The Continuing Story of American Women in Aviation, Mount Freedom 1994

HOLZAPFEL, Carl / STOCKS, Käthe / STOCKS, Rudolf: Sechzehn deutsche Pilotinnen in ihren Leistungen und Abenteuern, Berlin 1931

HORSLEY, Katherine E.: Sharon Christa Corrigan McAuliffe. Aus: PUSCH, Luise (Herausgeberin): Berühmte Frauen. Kalender 1998, Frankfurt 1997

HUYCK, Heather A.: Piccard, Jeannette Ridlon. Aus: WARE, Susan (Editor): Notable American Women, S. 513–514, Cambridge/London 2004

ITALIANDER, Rolf: Drei deutsche Fliegerinnen: Elly Beinhorn, Thea Rasche, Hanna Reitsch, Berlin 1940

JEMISON, Carol Mae: Find Where the Wind Goes. Moments from My Life, New York City 2001

JOCHIM, Bertold K.: Hanna Reitsch. Die erste Testpilotin der Welt, Rastatt/Baden 1960

JOHNSON, Amy: Sky Roads of the World, London/Edinburgh 1939

KAISER, Mario: Elfjährige Schülerin am Steuer / Von Küste zu Küste / Start in Maine – Ziel Kalifornien. Jüngste Pilotin aller Zeiten überfliegt die Staaten. Berliner Morgenpost, 22. September 1993

KENNARD, Gaby: Solo Woman. Gaby Kennards World Flight", Sydney 1990

KERDORFF, Ursula von: Jacqueline, die „Löwin der Lüfte". Süddeutsche Zeitung, 16. Oktober 1956, München

KEVLES, Bettyann Holtzmann: McAuliffe, Christa / Resnik Judith. Aus: WARE, Susan (Editor): Notable American Woman, Century, S. 425–426, Cambridge/London 2004

KNORR, Thea: Die erste Schleißheimer Fliegerin. Aus: LANGSDORFFF, Gero von: Geflogene Vergangenheit. 75 Jahre Luftfahrt in Schleißheim. Geschichte eines Flugplatzes herausgegeben vom Verein zur Erhaltung der historischen Flugwerft Oberschleißheim. Oberschleißheim 1988

KNORR, Thea: Erinnerungen, Unveröffentlichtes Manuskript

KUROSWKI, Franz: Berühmte Fliegerinnen, Göttingen 1974

LEBOW, Eileen F.: Before Amelia. Women pilots in the early days of aviation, Dulles/Virginia 2003

LINDBERGH, Anne Morrow: North to the Orient, New York City 1935

LINDBERGH, Anne Morrow: Ich fliege mit meinem Mann, Leipzig/Wien 1937

LINDBERGH, Anne Morrow: Listen! the Wind, New York City 1938

LOVELL, Mary S.: Straight on till Morning. The Biography of Beryl Markham, New York City 1987

LUTTER, Horst: Tagebücher meiner Mutter 1926–1948. Ein Zeitdokument, Norderstedt 2008

MAHN, Rudi: Melli Beese – in memorian. Aus: Deutsche Flugtechnik, Nr. 5, S., 293, Berlin 1961

MARKHAM, Beryl: West with the Night, UK 1942

MARKHAM, Beryl: Westwärts mit der Nacht, München 1988

MOOLMANN, Valerie: Frauen in der Luft, Amsterdam 1981

MORGENSTERN, Karl: „Man muß besser sein als die Männer". Sabine Trube ist die erste deutsche Jet-Kommandatin. Jährlich absolviert sie über 800 Flugstunden. Wiesbadener Kurier, 19. Februar 1994, Magazin, Wiesbaden

NICHOLS, Ruth: Wings for Live, Philadelphia 1957

NINETY NINES www.ninety-nines.org

PEAKE, Dame Felicity: Pure Chance – Felicity Peake, London o. J.

PFISTER, Gertrud: Fliegen – ihr Leben. Die ersten Pilotinnen, Berlin 1989

PISANO, Dominick: Stinson, Katherine. Aus: WARE, Susan (Editor): Notable American Woman, S. 615–616, Cambridge/London 2004

PROBST, Ernst: Königinnen der Lüfte von A bis Z, München 2010

PUSCH, Luise F. / GRETTER, Susanne: Dreihundert Porträts, Frankfurt am Main/Leipzig 1999

PUTNAM, George Palmer: Soaring wings, New York City 1939

RASCHE, Thea: Start in Amerika, Berlin 1928

RASCHE, Thea: Und über uns die Fliegerei – autobiographische Notizen und Flugberichte, Berlin 1940

RASKOWA, Marina: Fliegerinnen, Leipzig 1949

REBMANN, Jutta: Als Frau in die Luft ging. Die Geschichte der frühen Pilotinnen, Köln 2007

REITSCH, Hanna: Fliegen, mein Leben, München 1951

REITSCH, Hanna: Ich flog für Kwame Nkrumah, München 1967

REITSCH, Hanna: Das Unzerstörbare in meinem Leben. München 1975

REITSCH, Hanna: Höhen und Tiefen. 1945 bis zur Gegenwart. München 1978

RICH, Doris L.: Magnificent Moisants: Champions of Early Flight, Washington/London 1998

RICH, Doris L.: Cochran, Jacqueline. Aus: WARE, Susan (Editor): Notable American Woman, Century, S. 131–132, Cambridge/London 2004

RICKMAN, Sarah Byrn: Love, Nancy Harkness. Aus: WARE, Susan (Editor): Notable American Woman, S. 397–399, Cambridge/London 2004

RISSMANN-Ottow: Guido: Glück ab! Frühe Luftfahrt im Revier, Essen 2002

ROBERSON, Elizabeth Whitley: Tiny Broadwick. The First Lady of Parachuting, Gretna 2001

ROOS-KOCHER, Else: Eine Frau lernt fliegen. Aus: Paul Löcher (Herausgeber): Wie's einstens war in unserer Zeit, S. 266–272 Ostfildern 1980

RUSH, Elva: Up Above – Down Under. Stories of Australian Women in Aviation, Mansfield 2000

SCHAD, Martha: Madeleine Sophie Blanchard. Aus: Frauen, die die Welt bewegten. Geniale Frauen, der Vergangenheit entrissen, S. 26–27, Augsburg 1997

SCHMIDT, Margret: Mädchen am Steuerknüppel, Stuttgart 1953

SCHMITT, Günther: Die Ladys in den fliegenden Kisten, Berlin 1993

SCOTT, Sheila: I Must Fly, London 1968

SCOTT, Sheila: On Top of the World, London 1973

SCOTT, Sheila: Barefoot in the Sky", London 1974

SCHRÖTER, LOLA: 150 Fallschirm-Absprünge. Lola erzählt Selbsterlebtes, Dresden 1932

SCHULTE: Klaus L:: Das Earhart Mysterium, Köln 2008

SHERMAN, Jahann: Thaden, Louise. Aus: WARE, Susan (Editor): Notable American Woman, Century, S. 397–399, Cambridge/London 2004

SIGMUND, Anna M.: Hanna Reitsch: Sie flog für das Dritte Reich. Aus: die Frauen der Nazis. II. München 2002

SMITH, Elinor: Aviatrix, New York City 1981

SOVIET WOMEN PILOTS IN THE GREAT PATRIOTIC WAR http://mysite.pratt/edu

SUPF, Peter: Das Buch der deutschen Fluggeschichte, 3 Bände, Stuttgart 1956/1958

THADEN, Louise McPhetridge. High, Wide and Frightened, New York City 1938

THE EARLY BIRDS OF AVIATION http://earlyaviators.com

THEPEERAGE.COM http://www.thepeerage.com

TROUT, Bobbie: Just Plane Crazy, a Biography of Bobbie Trout, Santa Clara 1987

UHSE, Beate / PRAMANN, Ulrich: Mit Lust und Liebe. Mein Leben, Frankfurt/Main 1992

WALKER, Diana Barnato: Spreading my Wings, London 1994

WERUP, Jacques: Den ofullbordage himlen, Stockholm 1996

WHYTE, Edna Gardner: Rising Above It, New York City 1991

WIKIPEDIA (Online-Lexikon) http://wikipedia.org

WOMEN IN AVIATION HISTORY: http://wiai.org/information/history.html

ZEGENHAGEN, Evelyn: Schneidige deutsche Mädel. Fliegerinnen zwischen 1918 und 1945, Göttingen 2007

Bildquellen

National Archives and Records Administration, College Park (Foto um 1918): 109 oben

Mark Pellegrini / CC-BY-SA3.0: 106 unten (via Wikimedia Commons), lizensiert unter CreativeCommons-Lizenz by-sa-3.0-en, http://creativecommons.org/licenses/by-sa/3.0/legalcode

Reproduktion einer Lithographie von Adolph Friedrich Kunike (1777–1838) um 1820: 108 (2. von unten)

Reproduktion einer Postkarte: 5 (3. von oben), 107 oben

Reproduktion einer Postkarte von 1933: 4 unten, 103 unten

Reproduktion eines Fotos: 109 oben

Reproduktion eines Fotos um 1923: 106 oben

Reproduktion eines Fotos von William Edward Fretwell, 1874–1958) 105 (2. von oben)

Professor Dr. med. Bernd Rosemeyer, München: 2 (2. von unten), 21

Sabine Trube, Flugkapitän, Neuss: 4 (2. von unten), 99

Marc Heiko Ulrich, Hassel (Weser), Kunstzeichner.de: 103 oben

United States Air Force: 3 oben, 39

United States Library of Congress, Prints and Photographs Division, Washington: 2 unten, 31 (Reproduktion eines Kupferstiches von Jules Porreau, Reproductions Number LC-USZ62-97340

United States Library of Congress, Prints and Photographs Division, Washington: 3 (2. von oben), 49 (digital ID cph.3c12514)

United States Library of Congress, Prints and Photographs Division, George Grantham Bain Collection, Washington: 5 oben, 104 (2. von unten) (digital ID cph.3c07597), 105 (2. von unten) (digital ID ggbain.20940), 107 unten (digital ID cph.3a35973)

U.S. Navy: 108 oben (via Wikimedia Commons), Lizenz: gemeinfrei (Public domain)

Der Autor

Ernst Probst, geboren am 20. Januar 1946 in Neunburg vorm Wald im bayerischen Regierungsbezirk Oberpfalz, ist Journalist und Wissenschaftsautor. Er arbeitete von 1968 bis 1971 als Redakteur bei den „Nürnberger Nachrichten", von 1971 bis 1973 in der Zentralredaktion des „Ring Nordbayerischer Tageszeitungen" in Bayreuth und von 1973 bis 2001 bei der „Allgemeinen Zeitung", Mainz. In seiner Freizeit schrieb er Artikel für die „Frankfurter Allgemeine Zeitung", „Süddeutsche Zeitung", „Die Welt", „Frankfurter Rundschau", „Neue Zürcher Zeitung", „Tages-Anzeiger", Zürich, „Salzburger Nachrichten", „Die Zeit", „Rheinischer Merkur", „Deutsches Allgemeines Sonntagsblatt", „bild der wissenschaft", „kosmos", „Deutsche Presse-Agentur" (dpa), „Associated Press" (AP) und den „Deutschen Forschungsdienst" (df). Aus seiner Feder stammen die Bücher „Deutschland in der Urzeit" (1986), „Deutschland in der Steinzeit" (1991), „Rekorde der Urzeit" (1992), „Dinosaurier in Deutschland" (1993 zusammen mit Raymund Windolf) und „Deutschland in der Bronzezeit" (1996). Bis heute schrieb Ernst Probst mehr als 300 Bücher, Taschenbücher, Broschüren und E-Books.

Printed in Great Britain
by Amazon

58962290R00090